앞 사진 | 경복궁 신무문의 단청
다섯 가지 색을 기본으로 사용하여 건축물에 여러 가지 무늬와 그림을 그리는 장식 미술

세종 한국어

2B

발간사

최근 전 세계인이 접하는 한류 콘텐츠의 규모가 늘어나면서 한류 문화가 확산되고 있고, 그 결과로 한국어를 배우고자 하는 외국인 학습자의 기세가 매우 놀랍습니다. 세계 곳곳이 코로나19로 침체기를 겪던 2021년에도 한국어능력시험 응시자는 30만 명을 훌쩍 넘었으며, 문화체육관광부의 세종학당은 2007년 13곳에서 2022년에는 84개국 244개소로 증가하였습니다. 이러한 한류의 지속적인 확산을 뒷받침하기 위해서는 한국어교육의 탄탄한 지원이 필요합니다.

한류 콘텐츠와 함께 성장하는 한국어교육의 토대를 다지기 위해, 문화체육관광부와 국립국어원은 2011년 처음 발간된 《세종한국어》를 새로 다듬기로 하였습니다. 2019년부터 기초 연구를 시작한 교재 개정 작업은 3년의 시간을 들여, 2022년 드디어 새로운 《세종한국어》를 펴내게 되었고, 이를 세종학당재단과 함께 알리게 되었습니다.

새롭게 개정된 《세종한국어》는 첫째, 세종학당 곳곳에서 한국어를 배우고자 하는 열의로 가득 찬 외국인 학습자 중심의 교재를 지향하였습니다. 둘째, 현지 세종학당의 학습 환경에 따라 유연하게 활용할 수 있는 맞춤형 교재로 정비되었습니다. 셋째, 한류 콘텐츠에 대한 외국인들의 관심을 내용에 반영함으로써, 한국어 공부에 대한 학습자의 부담을 낮췄습니다. 마지막으로 세종학당을 대표하는 표준 교재로서 구심점 역할을 담당하고, 이후의 한국어 학습을 위한 연계성도 잘 갖추었습니다.

세종학당은 한국어와 한국 문화로 한국과 세계를 연결하는 대한민국 대표의 국외 한국어교육 기관입니다. 국립국어원과 문화체육관광부는 앞으로도 세종학당재단과 협력하여 전 세계에서 한국어를 사랑하는 이들이 꿈을 이룰 수 있도록 지속적인 노력과 지원을 아끼지 않겠습니다.

끝으로 교재 개발을 위해 최선의 노력을 기울여 주신 연구·집필진과 출판사 관계자분들께 진심으로 감사의 말씀을 드립니다. 《세종한국어》의 새로운 출발과 함께 문화체육관광부와 국립국어원, 세종학당재단이 세계로 더 나아갈 수 있도록 여러분의 따뜻한 관심 부탁드립니다.

2022년 8월

국립국어원장 장소원

머리말

세종학당은 한국과 전 세계를 연결하는 한국어·한국 문화 보급 기관입니다. 이번에 개발한 교재는 상호 문화주의에 기반하여 한국어 학습에 대한 학습자의 흥미를 증진함으로써 한국어 의사소통 능력을 향상시키는 것을 목표로 하였습니다. 이를 위해 최근 한국의 상황을 적극적으로 반영하였고 최신 교수법을 구현할 수 있는 새로운 구성과 디자인을 적용하였습니다. 이를 통해 국외 한국어교육의 방향성을 새롭게 제시하고자 하였습니다. 개정 《세종한국어》의 구체적 특징은 다음과 같습니다.

첫째, 세종학당의 표준 교육과정인 가형, 나형, 다형 전 과정에 탄력적으로 활용할 수 있도록 '기본 교재'와 '더하기 활동 교재'로 구분하였습니다. '기본 교재'에는 해당 등급에 필요한 핵심적인 내용을 담았으며, '더하기 활동 교재'에는 심화·확장이 필요한 언어 지식과 의사소통 활동을 담았습니다. 이를 통해 다양한 학습자 특성에 맞게 교재를 선택하여 사용할 수 있도록 하였습니다.

둘째, 효과적 교수·학습을 위해 단계별로 단원 구성을 차별화하였으며 학습 내용 또한 언어 발달 단계에 맞는 교수 학습 내용과 절차를 적용하였습니다. 특히 다양한 삽화와 시각적 자료를 적극적으로 제시하여 한국어 학습의 흥미를 극대화할 수 있도록 노력하였습니다.

셋째, 교재 전반에 생생한 한국 문화 내용을 배치하여 학습자들이 상호 문화적 관점에서 한국 문화를 이해하고, 궁극적으로는 자국의 문화와 한국 문화에 대한 바른 태도를 형성할 수 있도록 하였습니다.

넷째, 교재와 함께 '익힘책', '교사용 지도서', '어휘·표현과 문법', 수업용 PPT와 같은 보조 자료들을 개발하여 교사·학습자의 요구에 맞게 교재를 활용할 수 있도록 하였습니다.

이 교재를 기획하고 개발하는 모든 과정에 함께해 주신 국립국어원과 현지 학당과의 협조와 지원을 아끼지 않으신 세종학당재단, 그리고 학습자들이 재미있게 한국어를 배울 수 있도록 멋지게 디자인해 주신 공앤박출판사에 감사의 마음을 전하고 싶습니다. 끝으로 3년이라는 긴 시간 동안 오로지 한국어교육에 대한 열정으로 좋은 교재를 만들어 내기 위해 애써 주신 모든 집필진께 말로는 다할 수 없는 깊은 감사의 마음을 전합니다.

2022년 8월

저자 대표 이정희

차례

교재의 구성

단원	주제	단원명	기능
1	친구와 함께하는 시간	이번 주 금요일에 동아리 모임 할래요?	제안하기, 권유하기
2		세종학당에서부터 걸어서 10분쯤 걸려요	안내하기
3	나에게 특별한 것	할머니께서 직접 만드신 목걸이예요	소개하기
4		세종학당에 오다가 중학교 때 친구를 만났어요	설명하기
5	지켜야 하는 예절	공연 중에 핸드폰을 사용하지 마세요	금지하기
6		여기에서 노트북을 사용해도 돼요?	허락하기
7	다양한 성격과 특징	마리 씨한테서 그 친구 이야기를 들었어요	묘사하기
8		어렸을 때는 머리가 길었는데 지금은 짧은 머리가 편해요	비교하기
9	나의 희망 사항	저도 그런 사람을 만나고 싶은데요!	설명하기
10		산악자전거는 조금 위험한 편이에요	설명하기
11	좋은 변화	처음엔 모르는 게 많아서 답답했어	비교하기
12		난 너처럼 카페를 하고 싶어	묻고 답하기

어휘와 표현	문법		발음	활동
모임 준비	-(으)ㄹ래요?	-(으)ㄹ게요	비음화	모임 준비 말하기 파티에 초대하는 글 쓰기
이동 방법	에서부터	-(으)ㄹ (동사 미래)		이동 방법 말하기 행사에 대해 문의하는 메일 쓰기
선물	-(으)시-	에게만, 에게도	경음화	소중한 선물 소개하기 소중한 선물에 대한 글 쓰기
기분	-다가	-아/어 주다		기분 말하기 특별한 경험에 대한 글 쓰기
공연 관람 예절	-네요	-지 말다	억양 (감탄문)	공연 관람 예절 말하기 공연장에서 지켜야 할 규칙 쓰기
공공장소 규칙	-아도/어도 되다	-(으)면 안 되다		공공장소 규칙 말하기 공공장소 규칙 쓰기
성격	에게서, 한테서, 께	-(으)니까 (발견)	끊어 말하기	친구의 성격 말하기 친한 친구 소개하는 글 쓰기
외모	-는데/(으)ㄴ데	밖에		어렸을 때와 지금의 모습 비교해서 말하기 어렸을 때 꿈과 지금 하는 일에 대한 글 쓰기
인물의 특징	-기 때문에	-는데요/(으)ㄴ데요	ㅎ 약화	만나고 싶은 사람 설명하기 사귀고 싶은 친구에 대한 글 쓰기
특별한 경험	-는/(으)ㄴ 편이다	-게		늦기 전에 해 보고 싶은 일 말하기 올해 꼭 하고 싶은 일 쓰기
변화	-아/어	에는, 에서는	억양 (반말 의문문)	자신에게 생긴 변화 말하기 친구들에게 마음을 표현하는 글 쓰기
희망 사항	처럼	-게 되다		희망 사항 말하기 하고 싶은 일 쓰기

단원의 구성

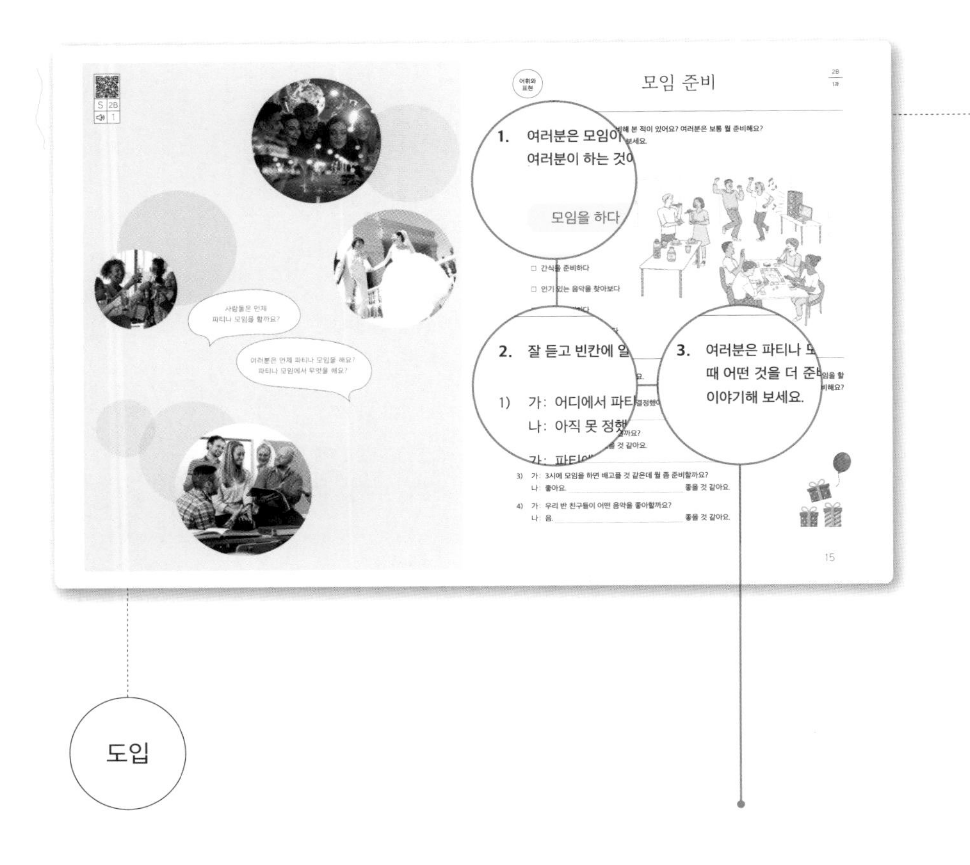

어휘와 표현

'어휘와 표현'은 해당 단원의 주제와 관련된 대표적인 어휘를 선정하되 덩어리 표현도 함께 제시하여 언어 사용에 초점을 두었습니다. '어휘와 표현'은 제시, 기계적 연습, 유의적 연습 또는 간단한 활동으로 구성하여 지식의 습득에서 연습을 통한 내재화까지 가능하도록 구성하였습니다.

도입

'도입'은 해당 단원의 주제나 문화 지식과 관련이 있는 장면을 제시하여 해당 단원에서 배울 내용에 대한 배경지식을 활성화하고 주제에 친숙해지도록 구성하였습니다.

1번은 삽화나 단순한 활동을 통해 기본적인 의미를 익히도록 하였고 2번과 3번은 앞서 배운 어휘를 좀 더 연습하거나 자기 발화로 연습할 수 있도록 하였습니다.

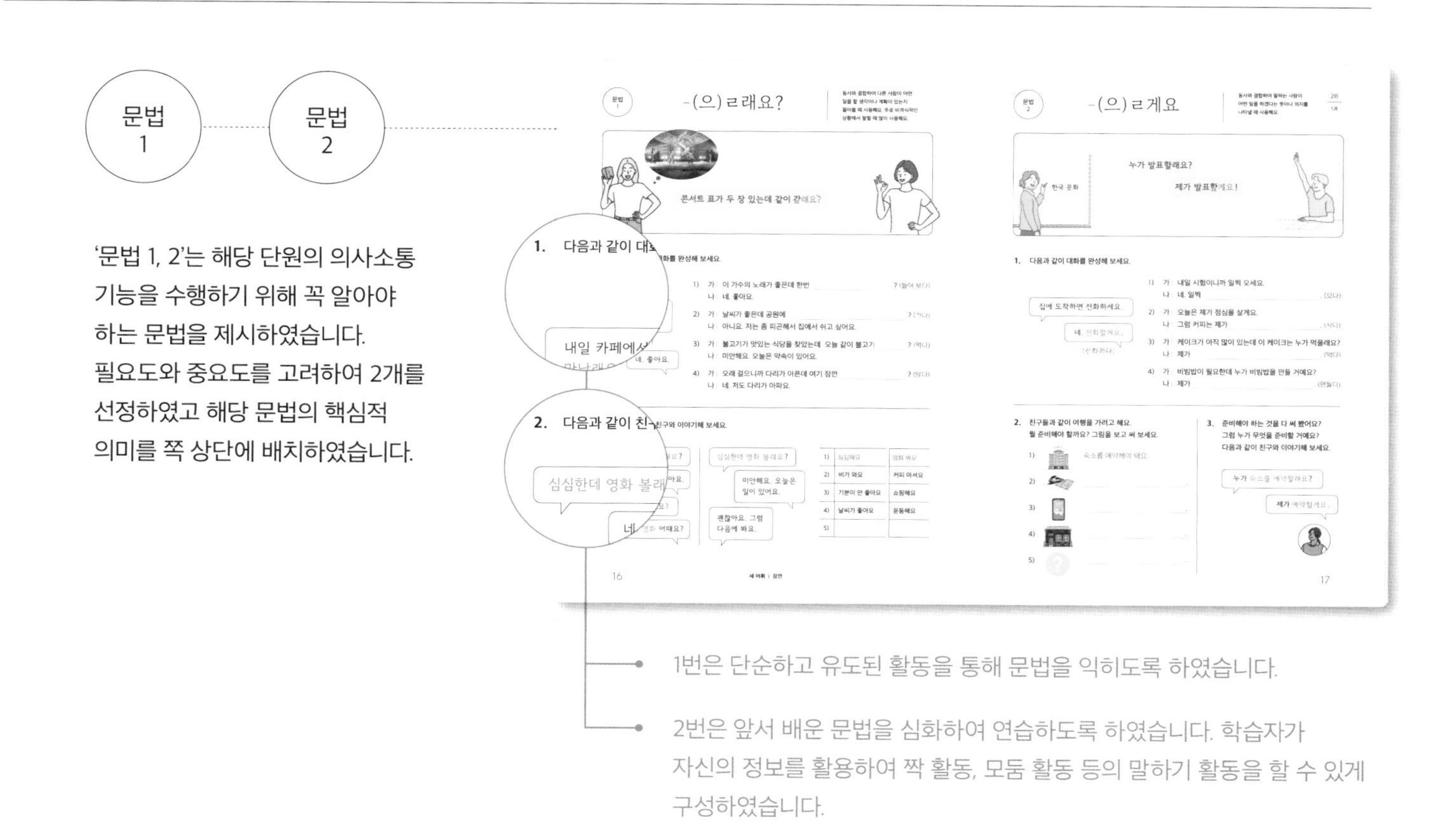

문법 1 · 문법 2

'문법 1, 2'는 해당 단원의 의사소통 기능을 수행하기 위해 꼭 알아야 하는 문법을 제시하였습니다. 필요도와 중요도를 고려하여 2개를 선정하였고 해당 문법의 핵심적 의미를 쪽 상단에 배치하였습니다.

- 1번은 단순하고 유도된 활동을 통해 문법을 익히도록 하였습니다.
- 2번은 앞서 배운 문법을 심화하여 연습하도록 하였습니다. 학습자가 자신의 정보를 활용하여 짝 활동, 모둠 활동 등의 말하기 활동을 할 수 있게 구성하였습니다.

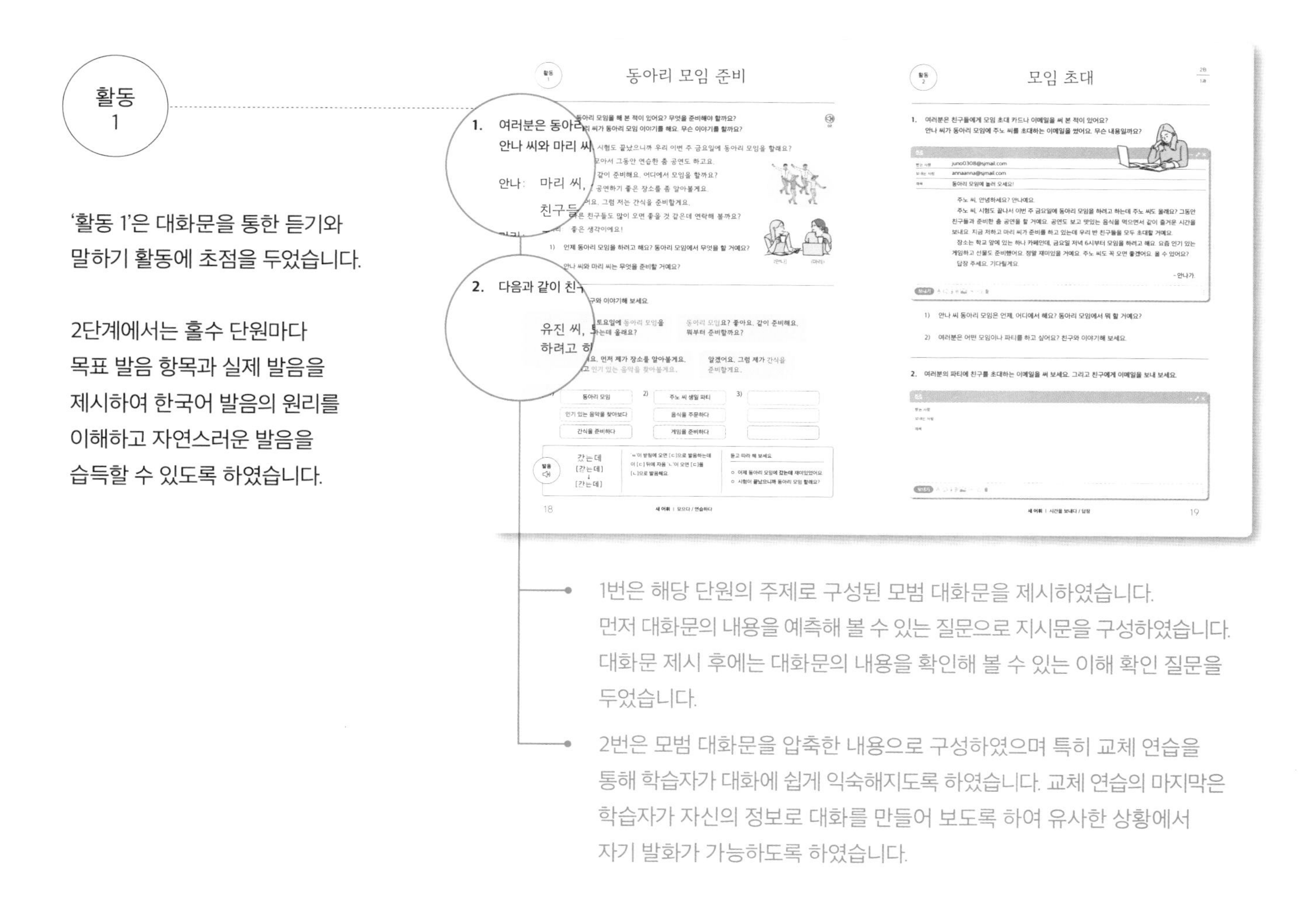

활동 1

'활동 1'은 대화문을 통한 듣기와 말하기 활동에 초점을 두었습니다.

2단계에서는 홀수 단원마다 목표 발음 항목과 실제 발음을 제시하여 한국어 발음의 원리를 이해하고 자연스러운 발음을 습득할 수 있도록 하였습니다.

- 1번은 해당 단원의 주제로 구성된 모범 대화문을 제시하였습니다. 먼저 대화문의 내용을 예측해 볼 수 있는 질문으로 지시문을 구성하였습니다. 대화문 제시 후에는 대화문의 내용을 확인해 볼 수 있는 이해 확인 질문을 두었습니다.
- 2번은 모범 대화문을 압축한 내용으로 구성하였으며 특히 교체 연습을 통해 학습자가 대화에 쉽게 익숙해지도록 하였습니다. 교체 연습의 마지막은 학습자가 자신의 정보로 대화를 만들어 보도록 하여 유사한 상황에서 자기 발화가 가능하도록 하였습니다.

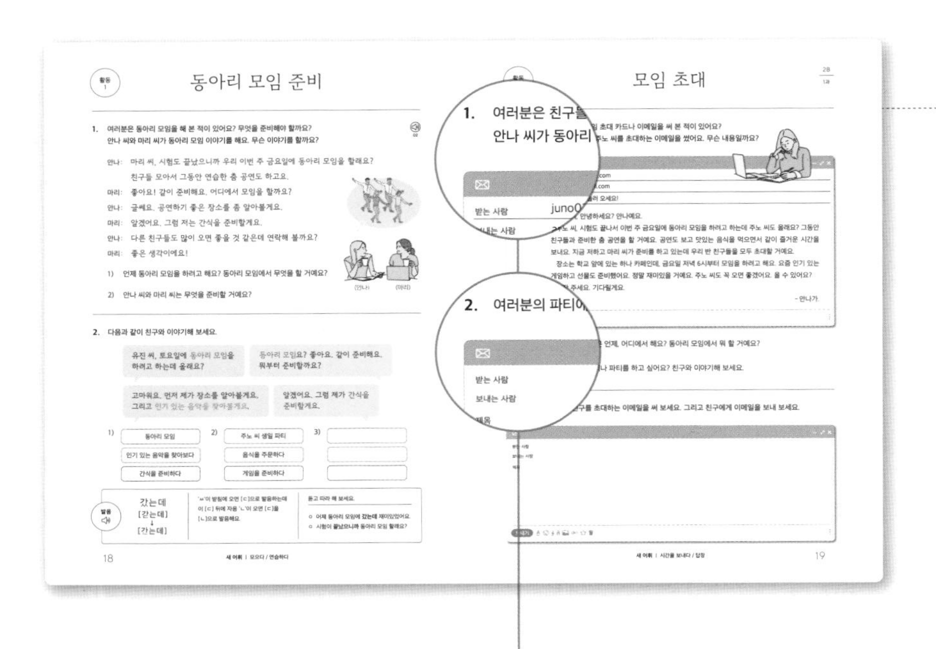

활동 1

동아리 모임 준비

1. 여러분은 동아리 모임을 해 본 적이 있어요? 무엇을 준비해야 할까요?
   안나 씨와 마리 씨가 동아리 모임 이야기를 해요. 무슨 이야기를 할까요?

안나: 마리 씨, 시험도 끝났으니까 우리 이번 주 금요일에 동아리 모임을 할래요? 친구들 모아서 그동안 연습한 춤 공연도 하고요.
마리: 좋아요! 같이 준비해요. 어디에서 모임을 할까요?
안나: 글쎄요. 공연하기 좋은 장소를 좀 알아볼게요.
마리: 알겠어요. 그럼 저는 간식을 준비할게요.
안나: 다른 친구들도 많이 오면 좋을 것 같은데 연락해 볼까요?
마리: 좋은 생각이에요!

(안나) (마리)

1) 언제 동아리 모임을 하려고 해요? 동아리 모임에서 무엇을 할 거예요?
2) 안나 씨와 마리 씨는 무엇을 준비할 거예요?

2. 다음과 같이 친구와 이야기해 보세요.

유진 씨, 토요일에 동아리 모임을 하려고 하는데 올래요?
동아리 모임요? 좋아요. 같이 준비해요. 뭐부터 준비할까요?
고마워요. 먼저 제가 장소를 알아볼게요. 그리고 인기 있는 음악을 찾아볼게요.
알겠어요. 그럼 제가 간식을 준비할게요.

1)	2)	3)
동아리 모임	주노 씨 생일 파티	
인기 있는 음악을 찾아보다	음식을 주문하다	
간식을 준비하다	게임을 준비하다	

발음

갔는데 [갇는데] → [간는데]

'ㅆ'이 받침에 오면 [ㄷ]으로 발음하는데 이 [ㄷ] 뒤에 자음 'ㄴ'이 오면 [ㄷ]을 [ㄴ]으로 발음해요.

듣고 따라 해 보세요.
- 어제 동아리 모임에 갔는데 재미있었어요.
- 시험이 끝났으니까 동아리 모임 할래요?

18 새 어휘 | 모으다 / 연습하다

활동

모임 초대

28 / 1과

1. 여러분은 친구들 ...임 초대 카드나 이메일을 써 본 적이 있어요?
   안나 씨가 동아리 ...주노 씨를 초대하는 이메일을 썼어요. 무슨 내용일까요?

받는 사람 juno0...com
보내는 사람 ...com
...러 오세요!

... 안녕하세요? 안나예요.
주노 씨, 시험도 끝나서 이번 주 금요일에 동아리 모임을 하려고 하는데 주노 씨도 올래요? 그동안 친구들과 준비한 춤 공연을 할 거예요. 공연도 보고 맛있는 음식을 먹으면서 같이 즐거운 시간을 보내요. 지금 저하고 마리 씨가 준비를 하고 있는데 우리 반 친구들을 모두 초대할 거예요.
장소는 학교 앞에 있는 하나 카페인데, 금요일 저녁 6시부터 모임을 하려고 해요. 요즘 인기 있는 게임하고 선물도 준비했어요. 정말 재미있을 거예요. 주노 씨도 꼭 오면 좋겠어요. 올 수 있어요? ...주세요. 기다릴게요.

- 안나가

...언제, 어디에서 해요? 동아리 모임에서 뭐 할 거예요?
...나 파티를 하고 싶어요? 친구와 이야기해 보세요.

2. 여러분의 파티에 ...친구를 초대하는 이메일을 써 보세요. 그리고 친구에게 이메일을 보내 보세요.

받는 사람
보내는 사람
제목

새 어휘 | 시간을 보내다 / 답장 19

활동 2

'활동 2'는 읽기와 쓰기 활동에 초점을 두었습니다.

1번은 읽기 활동 전에 해당 단원의 주제와 관련된 도입 질문을 두어 본격적인 읽기 활동 전에 활용할 수 있도록 하였습니다. 읽기 후에는 읽은 내용을 이해하였는지 확인하는 질문도 두었습니다.

2번은 읽은 내용을 바탕으로 자신의 이야기를 쓰도록 하였습니다. 1번에서 제시된 읽기 지문의 주제와 유사한 과제를 제시하여, 읽기 지문을 모범 글로 활용하여 쓸 수 있도록 고안하였습니다.

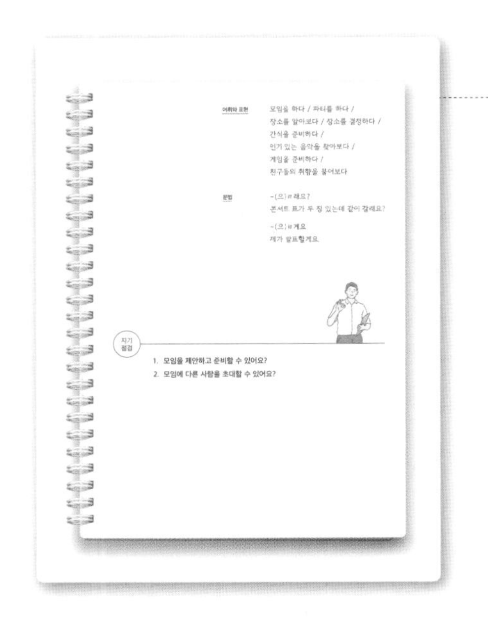

어휘와 표현

모임을 하다 / 파티를 하다 / 장소를 알아보다 / 장소를 결정하다 / 간식을 준비하다 / 인기 있는 음악을 찾아보다 / 게임을 준비하다 / 친구들의 취향을 물어보다

문법

-(으)ㄹ래요?
콘서트 표가 두 장 있는데 같이 갈래요?

-(으)ㄹ게요
제가 발표할게요.

자기 점검

1. 모임을 제안하고 준비할 수 있어요?
2. 모임에 다른 사람을 초대할 수 있어요?

정리 — 자기 점검

'정리'는 해당 단원에서 배운 어휘와 표현, 문법을 한눈에 정리할 수 있도록 하였으며 목표 문법이 사용된 핵심 예문을 배치하여 이해를 강화하고 실제로 표현해 볼 수 있도록 하였습니다.

'자기 점검'에는 해당 단원에서 배운 주제를 이해하고 수행할 수 있는지 묻는 질문을 두어 학습자 스스로 자신의 성취 수준을 확인하고 점검하도록 하였습니다.

마리

회사원.
재민의 회사 동료임.
등산과 케이팝을 좋아함.

수지

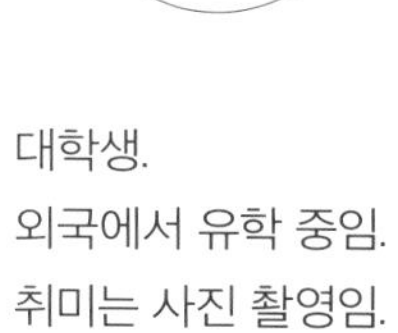

대학생.
외국에서 유학 중임.
취미는 사진 촬영임.

안나

대학생.
한국 드라마와 케이팝을
좋아함. 활발하고 적극적인
성격임.

유진

대학생.
영화 감상과 테니스 등
다양한 활동을 즐김.

주노

회사원.
한국에서 유학을 했음.
독서와 여행을 즐김.

재민

회사원.
주재원으로 국외 근무 중임.
산책과 캠핑을 즐김.

이번 주 금요일에 동아리 모임 할래요?

모임을 제안하고 준비할 수 있어요.

S 2B

1

사람들은 언제
파티나 모임을 할까요?

여러분은 언제 파티나 모임을 해요?
파티나 모임에서 무엇을 해요?

어휘와 표현

모임 준비

1. 여러분은 모임이나 파티를 준비해 본 적이 있어요? 여러분은 보통 뭘 준비해요?
여러분이 하는 것에 √ 표시를 해 보세요.

모임을 하다

파티를 하다

- ☐ 장소를 알아보다
- ☐ 장소를 결정하다
- ☐ 간식을 준비하다
- ☐ 인기 있는 음악을 찾아보다
- ☐ 게임을 준비하다
- ☐ 친구들의 취향을 물어보다

2. 잘 듣고 빈칸에 알맞은 말을 써 보세요.

1) 가: 어디에서 파티를 해요? 장소를 결정했어요?
   나: 아직 못 정했어요. 지금 좋은 ______________.

2) 가: 파티에서 뭘 하면 재미있을까요?
   나: 같이 게임하면 재미있을 것 같아요.
   ______________?

3) 가: 3시에 모임을 하면 배고플 것 같은데 뭘 좀 준비할까요?
   나: 좋아요. ______________ 좋을 것 같아요.

4) 가: 우리 반 친구들이 어떤 음악을 좋아할까요?
   나: 음. ______________ 좋을 것 같아요.

3. 여러분은 파티나 모임을 할 때 어떤 것을 더 준비해요? 이야기해 보세요.

–(으)ㄹ래요?

동사와 결합하여 다른 사람이 어떤 일을 할 생각이나 계획이 있는지 물어볼 때 사용해요. 주로 비격식적인 상황에서 말할 때 많이 사용해요.

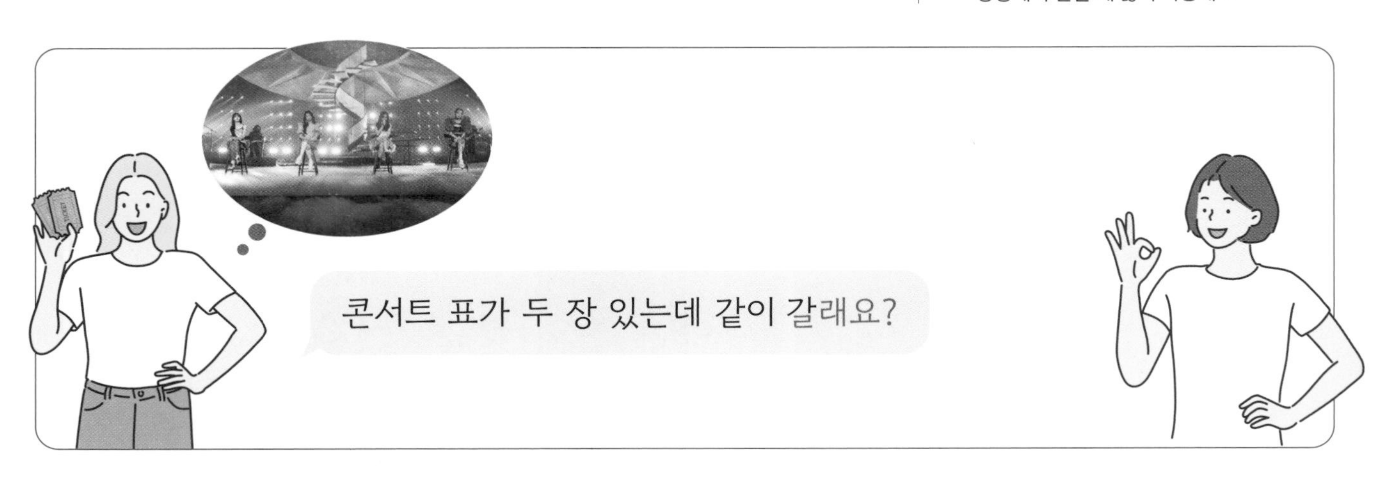

1. 다음과 같이 대화를 완성해 보세요.

내일 카페에서 만날래요?
(만나다)
네. 좋아요.

1) 가: 이 가수의 노래가 좋은데 한번 ______________________? (들어 보다)
   나: 네. 좋아요.

2) 가: 날씨가 좋은데 공원에 ______________________? (가다)
   나: 아니요. 저는 좀 피곤해서 집에서 쉬고 싶어요.

3) 가: 불고기가 맛있는 식당을 찾았는데 오늘 같이 불고기 __________? (먹다)
   나: 미안해요. 오늘은 약속이 있어요.

4) 가: 오래 걸으니까 다리가 아픈데 여기 잠깐 ______________? (앉다)
   나: 네. 저도 다리가 아파요.

---

2. 다음과 같이 친구와 이야기해 보세요.

심심한데 영화 볼래요?
네. 좋아요.
무슨 영화 볼래요?
한국 영화 어때요?

심심한데 영화 볼래요?
미안해요. 오늘은 일이 있어요.
괜찮아요. 그럼 다음에 봐요.

1)	심심해요	영화 봐요
2)	비가 와요	커피 마셔요
3)	기분이 안 좋아요	쇼핑해요
4)	날씨가 좋아요	운동해요
5)		

새 어휘 | 잠깐

문법 2 -(으)ㄹ게요

동사와 결합하여 말하는 사람이 어떤 일을 하겠다는 뜻이나 의지를 나타낼 때 사용해요.

2B 1과

누가 발표할래요?

제가 발표할게요!

1. 다음과 같이 대화를 완성해 보세요.

집에 도착하면 전화하세요.

네. 전화할게요.

(전화하다)

1) 가: 내일 시험이니까 일찍 오세요.
   나: 네. 일찍 ______________. (오다)

2) 가: 오늘은 제가 점심을 살게요.
   나: 그럼 커피는 제가 ______________. (사다)

3) 가: 케이크가 아직 많이 있는데 이 케이크는 누가 먹을래요?
   나: 제가 ______________. (먹다)

4) 가: 비빔밥이 필요한데 누가 비빔밥을 만들 거예요?
   나: 제가 ______________. (만들다)

**2. 친구들과 같이 여행을 가려고 해요.
뭘 준비해야 할까요? 그림을 보고 써 보세요.**

1) 숙소를 예약해야 돼요.

2)   ______________.

3)  ______________.

4)  ______________.

5)  ______________.

**3. 준비해야 하는 것을 다 써 봤어요?
그림 누가 무엇을 준비할 거예요?
다음과 같이 친구와 이야기해 보세요.**

누가 숙소를 예약할래요?

제가 예약할게요.

활동 1

동아리 모임 준비

1. **여러분은 동아리 모임을 해 본 적이 있어요? 무엇을 준비해야 할까요?**
안나 씨와 마리 씨가 동아리 모임 이야기를 해요. 무슨 이야기를 할까요?

안나: 마리 씨, 시험도 끝났으니까 우리 이번 주 금요일에 동아리 모임을 할래요?
친구들 모아서 그동안 연습한 춤 공연도 하고요.

마리: 좋아요! 같이 준비해요. 어디에서 모임을 할까요?

안나: 글쎄요. 공연하기 좋은 장소를 좀 알아볼게요.

마리: 알겠어요. 그럼 저는 간식을 준비할게요.

안나: 다른 친구들도 많이 오면 좋을 것 같은데 연락해 볼까요?

마리: 좋은 생각이에요!

(안나) (마리)

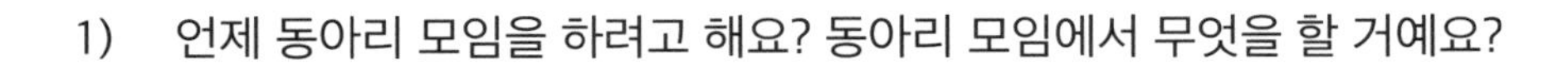
1) 언제 동아리 모임을 하려고 해요? 동아리 모임에서 무엇을 할 거예요?

2) 안나 씨와 마리 씨는 무엇을 준비할 거예요?

2. **다음과 같이 친구와 이야기해 보세요.**

유진 씨, 토요일에 동아리 모임을 하려고 하는데 올래요?

동아리 모임요? 좋아요. 같이 준비해요. 뭐부터 준비할까요?

고마워요. 먼저 제가 장소를 알아볼게요. 그리고 인기 있는 음악을 찾아볼게요.

알겠어요. 그럼 제가 간식을 준비할게요.

1)	2)	3)
동아리 모임	주노 씨 생일 파티	
인기 있는 음악을 찾아보다	음식을 주문하다	
간식을 준비하다	게임을 준비하다	

발음

갔는데
[갇는데]
↓
[간는데]

‘ㅆ’이 받침에 오면 [ㄷ]으로 발음하는데 이 [ㄷ] 뒤에 자음 ‘ㄴ’이 오면 [ㄷ]을 [ㄴ]으로 발음해요.

듣고 따라 해 보세요.

- 어제 동아리 모임에 **갔는데** 재미있었어요.
- 시험이 **끝났으니까** 동아리 모임 할래요?

새 어휘 | 모으다 / 연습하다

활동 2

모임 초대

1. 여러분은 친구들에게 모임 초대 카드나 이메일을 써 본 적이 있어요?
안나 씨가 동아리 모임에 주노 씨를 초대하는 이메일을 썼어요. 무슨 내용일까요?

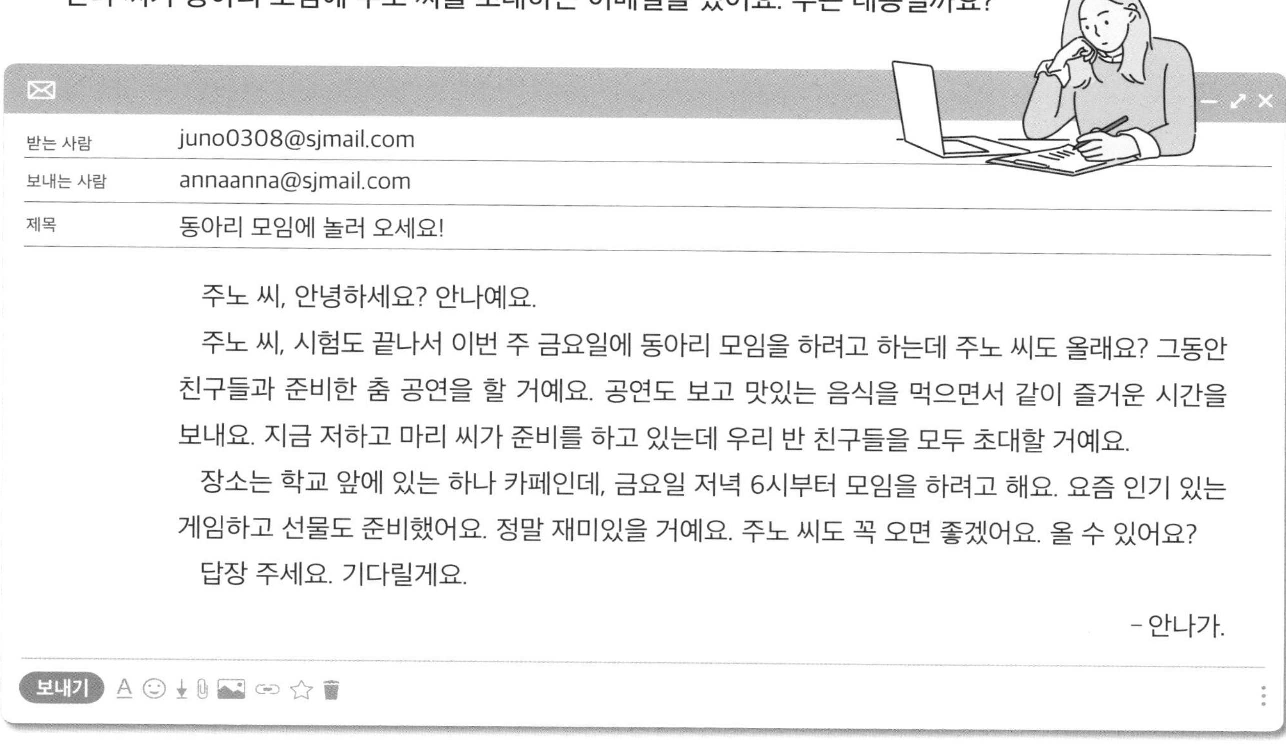

받는 사람 juno0308@sjmail.com

보내는 사람 annaanna@sjmail.com

제목 동아리 모임에 놀러 오세요!

주노 씨, 안녕하세요? 안나예요.

주노 씨, 시험도 끝나서 이번 주 금요일에 동아리 모임을 하려고 하는데 주노 씨도 올래요? 그동안 친구들과 준비한 춤 공연을 할 거예요. 공연도 보고 맛있는 음식을 먹으면서 같이 즐거운 시간을 보내요. 지금 저하고 마리 씨가 준비를 하고 있는데 우리 반 친구들을 모두 초대할 거예요.

장소는 학교 앞에 있는 하나 카페인데, 금요일 저녁 6시부터 모임을 하려고 해요. 요즘 인기 있는 게임하고 선물도 준비했어요. 정말 재미있을 거예요. 주노 씨도 꼭 오면 좋겠어요. 올 수 있어요?

답장 주세요. 기다릴게요.

– 안나가.

보내기

1) 안나 씨 동아리 모임은 언제, 어디에서 해요? 동아리 모임에서 뭐 할 거예요?

2) 여러분은 어떤 모임이나 파티를 하고 싶어요? 친구와 이야기해 보세요.

2. 여러분의 파티에 친구를 초대하는 이메일을 써 보세요. 그리고 친구에게 이메일을 보내 보세요.

새 어휘 | 시간을 보내다 / 답장

어휘와 표현

모임을 하다 / 파티를 하다 /
장소를 알아보다 / 장소를 결정하다 /
간식을 준비하다 /
인기 있는 음악을 찾아보다 /
게임을 준비하다 /
친구들의 취향을 물어보다

문법

-(으)ㄹ래요?
콘서트 표가 두 장 있는데 같이 갈래요?

-(으)ㄹ게요
제가 발표할게요.

자기 점검

1. 모임을 제안하고 준비할 수 있어요?
2. 모임에 다른 사람을 초대할 수 있어요?

세종학당에서부터 걸어서 10분쯤 걸려요

목적지까지 가는 방법을 설명할 수 있어요.

S 2B
2

여러분은
세종학당에 올 때 어떻게 와요?
시간이 얼마나 걸려요?
백화점
세종학당
길을 잘 몰라서 힘든 적이 있었어요?
그때 어떻게 했어요?

어휘와 표현

이동 방법

1. 길에서 이런 것들을 본 적 있어요? 한국어로 뭐라고 할까요? 알맞은 것을 골라 빈칸에 써 보세요.

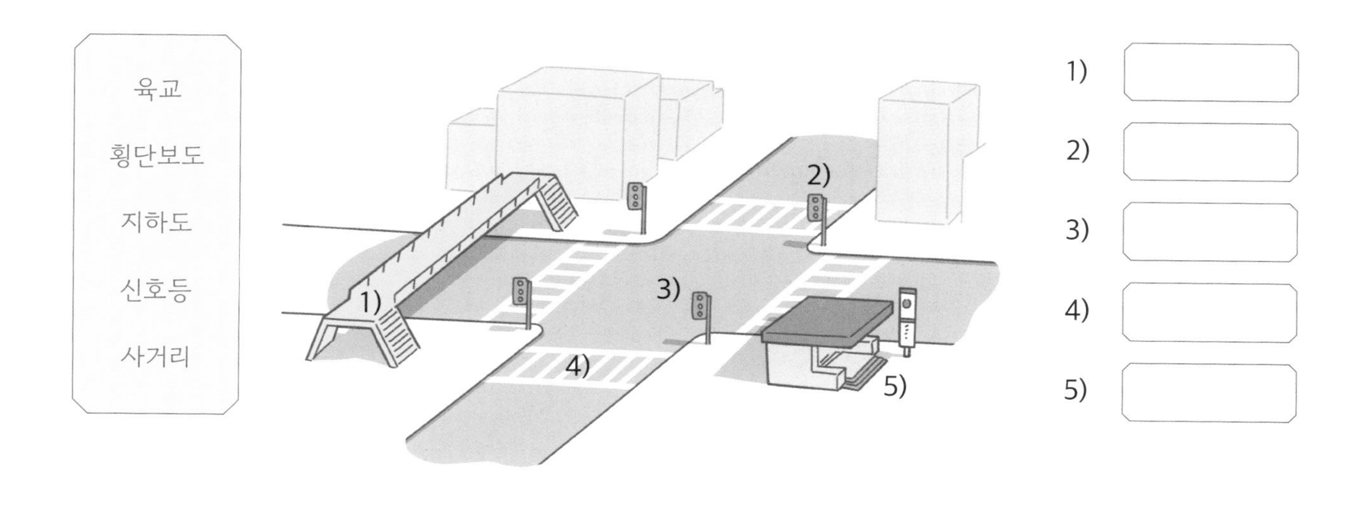

1) ________
2) ________
3) ________
4) ________
5) ________

2. 그림과 알맞은 표현을 연결해 보세요. 그리고 듣고 따라 해 보세요.

1) 

2) 

3) 

앞으로 쭉 가다

오른쪽으로 돌아가다
(우회전하다)

왼쪽으로 돌아가다
(좌회전하다)

3. 여러분 집에서 세종학당까지 올 때 무엇을 볼 수 있어요? 이야기해 보세요.

횡단보도와 육교를 볼 수 있어요.

에서부터

명사와 결합하여 어떤 일이나 상태가 시작되는 장소를 나타내요. 조사 '에서'와 '부터'가 합쳐진 말로 시작된 장소를 더 강조하고 싶을 때 많이 사용해요. 말을 할 때는 '서부터'로 짧게 말할 수도 있어요.

가: 오늘 세종학당까지 걸어왔어요.
나: 정말요? 어디에서부터 걸어왔어요?
가: 집에서부터 걸어왔어요.

1. 다음과 같이 대화를 완성해 보세요.

회사가 세종학당에서 멀어요?

네. 세종학당에서부터 회사까지 2시간쯤 걸려요.

(세종학당)

1) 가: 남산까지 걸어왔어요? 어디에서 출발했어요?
나: ______________ 걸어왔는데 1시간쯤 걸렸어요. (명동)

2) 가: 이 넓은 집을 혼자 다 청소했어요?
나: 네. ______________ 시작해서 그냥 했어요. (화장실)

3) 가: 리사 씨 고향에서 한국까지 멀어요?
나: 네. 제 ______________ 한국까지 10시간쯤 걸려요. (고향)

4) 가: 서울까지 혼자 운전을 했어요?
______________ 운전을 했어요? (어디)
나: ______________ 혼자 운전을 했어요. (부산)

---

2. 다음과 같이 대화를 완성해 보세요.

먼 거리를 걸어 본 적이 있어요?

네. 집에서부터 학교 도서관까지 걸어간 적이 있어요.

시간이 얼마나 걸렸어요?

한 시간쯤 걸렸어요.

1)	먼 거리를 걸어 본 적이 있어요?
2)	차를 타고 멀리 가 본 적 있어요?
3)	기차 타고 멀리 여행해 본 적 있어요?
4)	

새 어휘 | 걸어오다 / 그냥 / 멀리

문법
2

-(으)ㄹ

동사와 결합하여 미래에
일어날 상황이나 예정,
의도를 나타낼 때 사용해요.

2B
2과

그게 뭐예요?

친구에게 줄 선물이에요.

1. 다음과 같이 대화를 완성해 보세요.

왜 이 우유는 안 마셔요?

이건 내일 마실 우유예요.

(마시다)

1) 가: 다음 주에 만날래요?
   나: 미안하지만 다음 주에 너무 바빠서 .... 시간이 없어요. (만나다)

2) 가: 이 표는 뭐예요?
   나: 내일 친구하고 .... 영화표예요. (보다)

3) 가: 뭘 샀어요?
   나: 내일 아침에 .... 빵을 샀어요. (먹다)

4) 가: 뭐 해요?
   나: 금요일 파티에서 .... 음악을 찾고 있어요. (듣다)

---

2. 여러분이 한국의 제주도로 여행을 가려고 해요. 여행 준비를 하고 있는데 친구가 왔어요.
여러분이 준비한 물건을 보고 친구가 질문해요. 다음과 같이 친구와 이야기해 보세요.

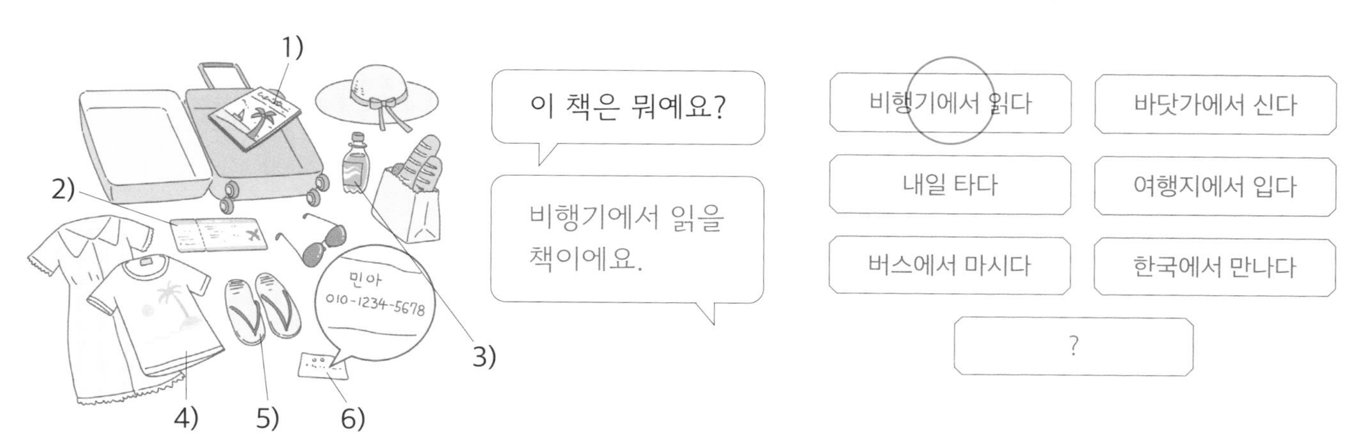

이 책은 뭐예요?

비행기에서 읽을 책이에요.

비행기에서 읽다	바닷가에서 신다
내일 타다	여행지에서 입다
버스에서 마시다	한국에서 만나다
?	

하나 카페에 가는 방법

1. **여러분은 처음 가는 장소에 갈 때 어떻게 길을 찾아요?**
유진 씨와 주노 씨가 모임 장소에 가는 방법을 이야기해요. 무슨 이야기를 할까요?

유진: 오늘 춤 동아리 모임이 있죠? 세종학당에서 출발할 사람 있어요?

주노: 네. 저요. 모임 장소가 하나 카페죠? 세종학당에서 멀어요?

유진: 아니요. 멀지 않아요. 세종학당에서부터 걸어서 10분쯤 걸려요.

주노: 그래요? 어떻게 가요?

유진: 세종학당 앞에서 횡단보도를 건너면 영화관이 나와요.
그 영화관에서 오른쪽으로 돌아가면 하나 카페가 있어요.

주노: 아, 한 번 가 본 것 같아요. 수업 끝나고 같이 갈까요?

유진: 네. 좋아요.

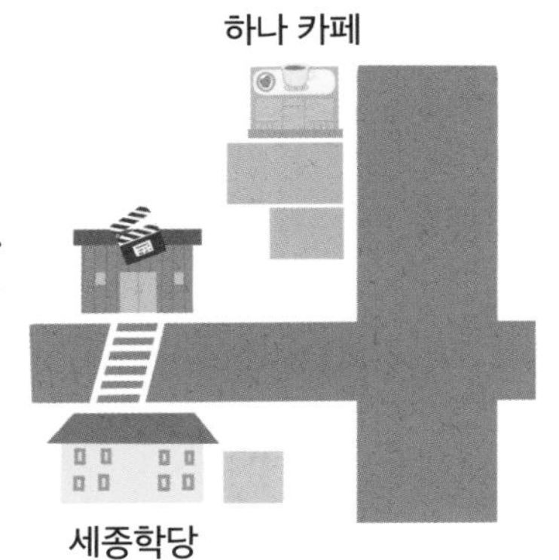

1) 모임 장소는 세종학당에서 멀어요? 시간이 얼마나 걸려요?

2) 모임 장소에 어떻게 가요?

---

2. **다음과 같이 친구와 이야기해 보세요.**

오늘 반 모임에 갈 사람 있어요?

네. 저요. 모임 장소가 한국식당이죠? 그런데 세종학당에서부터 멀어요?

아니요. 세종학당 앞 지하도를 건너면 공원이 있는데 그 앞에 있어요.

아, 그래요? 이따가 같이 가요.

1)	2)	3)	4)
반 모임	주노 씨 생일 파티	동아리 모임	
세종학당	학교	정문	
지하도를 건너다	육교를 건너다	횡단보도를 건너다	

새 어휘 | 나오다 / 정문

한글날 행사 안내

1. 여러분은 행사 안내 글을 읽어 본 적이 있어요? 세종학당에서 한글날 행사를 안내하는 글을 썼어요. 무슨 내용일까요?

제목 한글날 행사 안내

세종학당 학생 여러분.

안녕하세요? 우리 세종학당에서는 10월 9일 2시에 K 호텔에서 한글날 행사를 할 예정입니다. 한글을 만든 세종 대왕의 영화도 보고 재미있는 한글 캘리그래피도 배울 것입니다. 그리고 우리 세종학당의 춤 동아리 학생들이 멋진 케이팝(K-POP) 공연도 할 예정입니다.

세종학당에서부터 같이 출발할 학생들은 9일 1시 반까지 세종학당 정문으로 오세요. 따로 올 학생들은 오른쪽의 지도를 보고 찾아오세요.

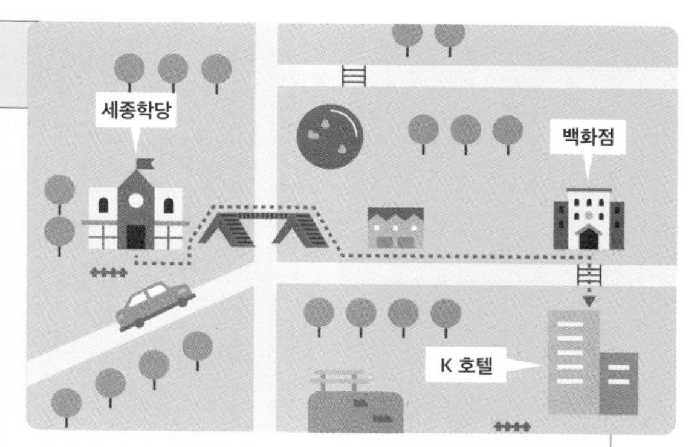

〈세종학당에서 K 호텔까지 오는 길〉

한글날 행사에 참석할 학생들은 10월 1일까지 sejonghakdang_k@sjmail.com으로 이메일을 보내세요. 혹시 궁금한 것이 있으면 이 이메일로 질문하세요.

1) 한글날 행사는 언제 어디에서 해요? 이 행사에서는 무엇을 할 예정이에요?

2) 여러분이 모임이나 행사를 하면 어디에서 하고 싶어요?
친구들에게 세종학당에서부터 그 장소까지 찾아오는 길을 말할 수 있어요? 이야기해 보세요.

2. 여러분이 이 행사에 참석하려고 해요. 그런데 일이 있어서 3시부터 참석할 수 있어요. 그리고 몇 시간 동안 행사를 하는지 알고 싶어요. 어떻게 이메일을 보내면 좋을까요? 이메일을 한번 써 보세요.

새 어휘 | 한글날 / 행사 / 안내 / 예정 / 세종 대왕 / 캘리그래피 / 멋지다 / 따로 / 참석하다 / 궁금하다

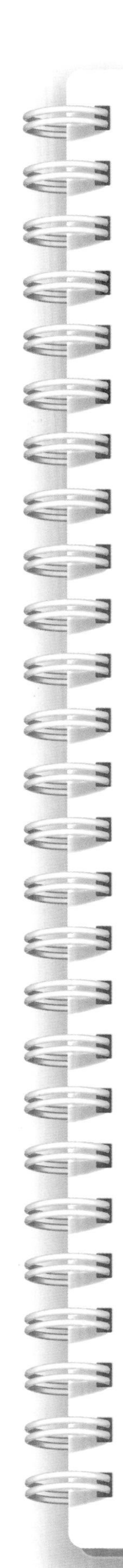

어휘와 표현

육교 / 횡단보도 / 지하도 /
신호등 / 사거리 / 앞으로 쭉 가다 /
오른쪽으로 돌아가다(우회전하다) /
왼쪽으로 돌아가다(좌회전하다)

문법

에서부터
집에서부터 세종학당까지 걸어왔어요.

-(으)ㄹ
친구에게 줄 선물을 샀어요.

자기 점검

1. 이동 방법을 말할 수 있어요?
2. 목적지까지 가는 방법을 설명할 수 있어요?

할머니께서 직접 만드신 목걸이예요

소중한 선물을 소개할 수 있어요.

여러분 나라에서는
언제, 어떤 선물을 많이 해요?

한국에서는 어떤 선물을
많이 할까요?

15~34세 한국 사람 234명에게
많이 하는 선물을 질문했습니다.

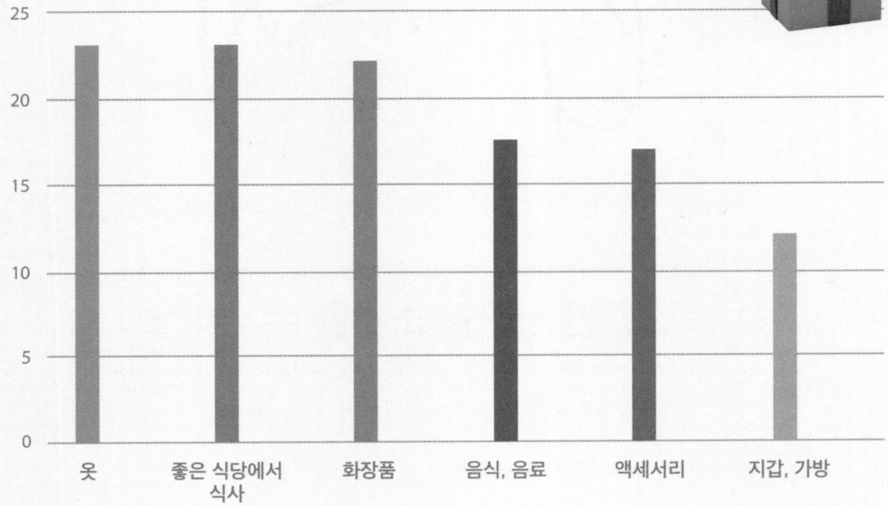

선물

1. 다음은 선물과 관련된 표현이에요. 아는 것에 √ 표시를 해 보세요.

☐ 선물을 주다 / 선물을 하다

☐ 선물을 고르다

☐ 선물을 포장하다

☐ 선물을 받다

☐ 포장을 풀다

☐ 선물을 꺼내다

2. 여러분은 어떤 선물을 받고 싶어요? √ 표시를 해 보세요. 또는 받고 싶은 선물을 써 보세요.

☐ 향수

☐ 넥타이

☐ 노트북

☐ 목걸이

☐ ....

3. 잘 듣고 빈칸에 알맞은 말을 써 보세요.

1) 가: 뭘 보고 있어요?
   나: 다음 주에 마리 씨 생일이 있어서 인터넷으로 ....

2) 가: 다음 달에 친구가 외국에 공부하러 가는데 뭘 하면 좋을까요?
   나: .... ?

3) 가: 동생에게 무슨 선물을 하면 좋을까요?
   나: 이번에 취직했으니까 .... ?

4) 가: 무슨 선물을 받고 싶어요?
   나: 저는 ....

4. 여러분은 사랑하는 사람에게 어떤 선물을 주고 싶어요? 이야기해 보세요.

새 어휘 | 취직하다

-(으)시-

동사나 형용사와 결합하여 문장 안에서 주어가 하는 행동이나 상태를 높여서 말할 때 사용해요. 명사는 '(이)세요'와 함께 말해요.

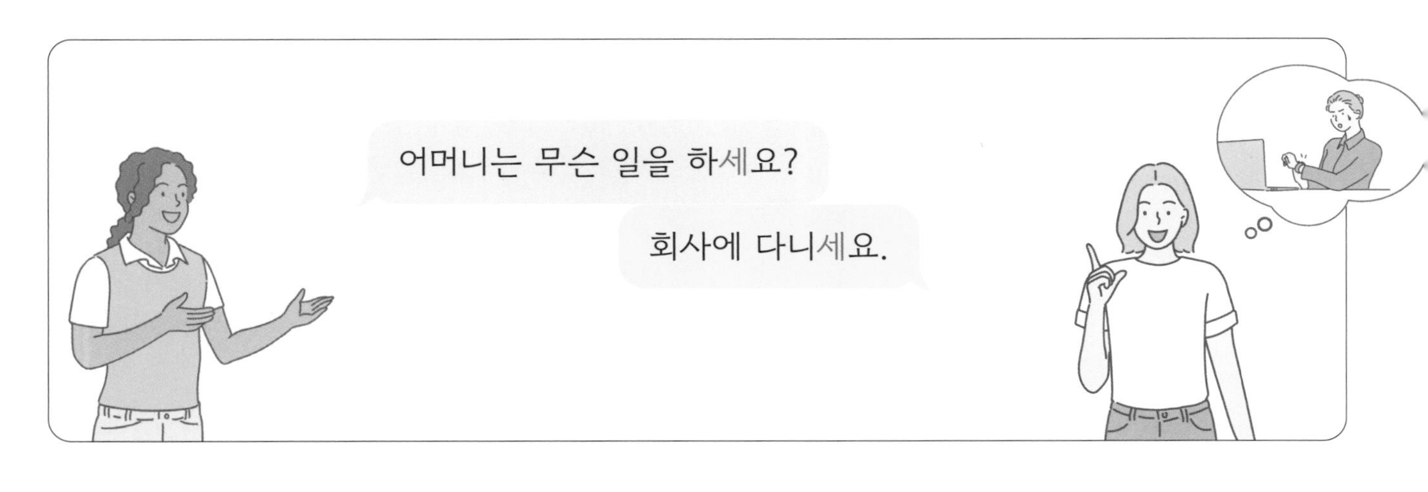

1. 다음과 같이 문장을 완성해 보세요.

아버지 | 영화를 좋아하다 → 아버지께서 영화를 좋아하세요.

1) 아버지 | 요리하다 → 아버지께서 ______________.

2) 어머니 | 수학을 가르치다 → 어머니께서 ______________.

3) 할아버지 | 책을 읽다 → 할아버지께서 ______________.

4) 할머니 | 음악을 듣다 → 할머니께서 ______________.

---

2. 여러분이 좋아하는 가족이나 어른들은 어떤 분이세요? 다음과 같이 친구와 이야기해 보세요.

> 수지 씨의 아버지는 어떤 분이세요?

> 우리 아버지는 요리를 잘하세요. 그리고 영화를 아주 좋아하세요.

> 아, 그럼 혹시 요리사세요?

> 아니요. 학교에서 영어를 가르치세요. 취미가 요리세요.

새 어휘 | 수학 / 할아버지 / 할머니 / 분

에게만, 에게도

'에게'에 '만'과 '도'를 결합한 표현이에요. '만'은 명사와 결합해 그 명사만 선택함을 나타내요. '에게'에 '만'을 더한 '에게만'은 행동을 미치는 대상이 어떤 특정한 사람일 때 사용하고, '에게도'는 행동을 미치는 대상이 특정한 사람 외 또 다른 사람이 있는 경우에 사용해요.

안나 씨가 유진 씨에게만
편지를 줬어요.

안나 씨가 주노 씨에게도
편지를 줬어요.

1. 다음과 같이 문장을 완성해 보세요.

> 유진 씨가 재민 씨에게만 책을 줬어요.
> 주노 씨에게는 안 줬어요.

> 유진 씨가 마리 씨에게 선물을 줬어요. 안나 씨에게도 선물을 줬어요.

1) 재민 씨가 안나 씨에게 선물을 줬어요.
마리 씨 ______________ 선물을 줬어요.

2) 아버지가 동생 ______________ 지갑을 주셨어요.
저는 안 주셨어요.

3) 마리 씨가 수지 씨 ______________ 향수를 줬어요.
다른 친구들에게는 안 줬어요.

4) 수지 씨가 재민 씨에게 넥타이를 줬어요.
유진 씨 ______________ 넥타이를 줬어요.

2. 안나 씨가 크리스마스 파티를 했어요. 그림을 보고 '에게만', '에게도'를 넣어 친구와 이야기를 만들어 보세요.

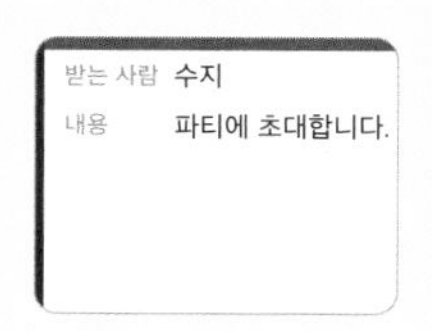

파티에 초대하려고
수지 씨에게 이메일을
보냈어요.

1) 받는 사람 재민, 유진
내용 파티에 초대합니다.

____
이메일을 보냈어요.

2)
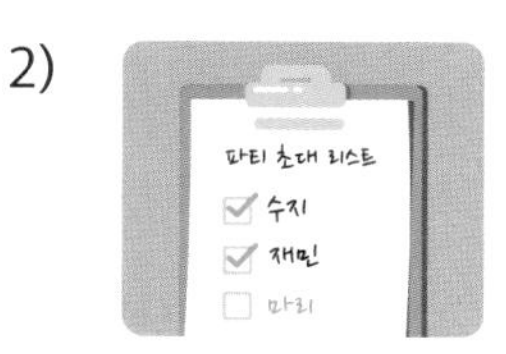

그런데 ______________
______________.

3)
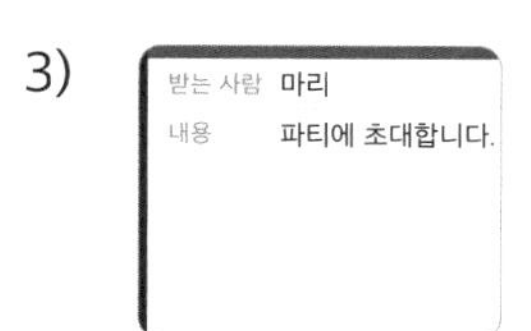

그래서 ______________
______________.

4)

파티에서 안나 씨가 수지 씨에게
선물을 줬어요. 그리고 ______________
______________.

활동 1

소중한 선물

1. 여러분에게 소중한 물건은 뭐예요? 누가 준 거예요?
주노 씨와 안나 씨가 소중한 물건에 대해 이야기를 해요. 무슨 이야기를 할까요?

02

주노: 안나 씨, 오늘 목걸이가 예뻐요. 새로 샀어요?

안나: 아, 아니요. 작년 크리스마스에 받은 선물이에요.
우리 할머니께서 직접 만드신 목걸이예요.

주노: 와, 직접요? 할머니께서 너무 멋있으세요.

안나: 네. 그래서 저에게 정말 소중한 목걸이예요. 디자인은 조금 다르지만 동생에게도 주셨어요.

주노: 목걸이를 볼 때마다 할머니가 생각날 것 같아요.

안나: 네. 지금 할머니 이야기를 하니까 할머니가 더 보고 싶어요.

1) 안나 씨는 언제 목걸이를 선물 받았어요? 2) 왜 그 목걸이가 소중해요?

2. 다음과 같이 친구와 이야기해 보세요.

재민 씨, 이 테이블 디자인이 멋있어요. 새로 샀어요?

아, 멋있죠? 이사할 때 어머니께서 주신 선물이에요.

와, 테이블을 볼 때마다 어머니 생각이 날 것 같아요.

네. 저에게만 주신 선물이어서 특히 소중해요.

1)	2)	3)
테이블	넥타이	
이사하다	취직하다	
어머니	할아버지	

발음

먹고
[먹꼬]

받침소리 [ㄱ], [ㄷ], [ㅂ] 뒤에 'ㄱ'이 오면 [ㄲ]으로 발음해요.

듣고 따라 해 보세요.

- 코트를 **입고** 나가세요.
- 직접 만드신 **목걸이예요.**

새 어휘 | 새로 / 소중하다 / 생각나다

활동 2

소중한 선물 소개

1. 여러분은 기억에 남는 선물이 있어요? 마리 씨가 소중한 선물을 소개하는 글을 썼어요. 어떤 선물일까요? 먼저 그림을 보고 생각해 보세요.

소중한 선물

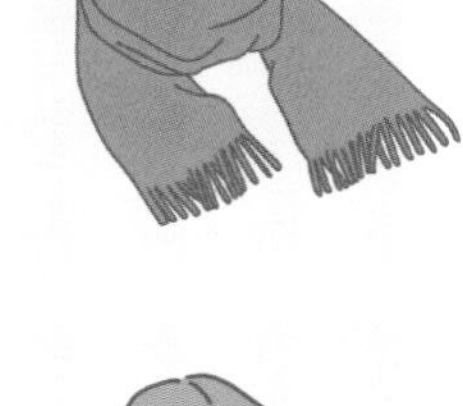

여러분은 기억에 남는 소중한 선물이 있습니까?

저는 겨울이 오면 생각나는 선물이 있습니다. 10살 생일 때 어머니께서 직접 만드신 목도리를 생일 선물로 주셨습니다.

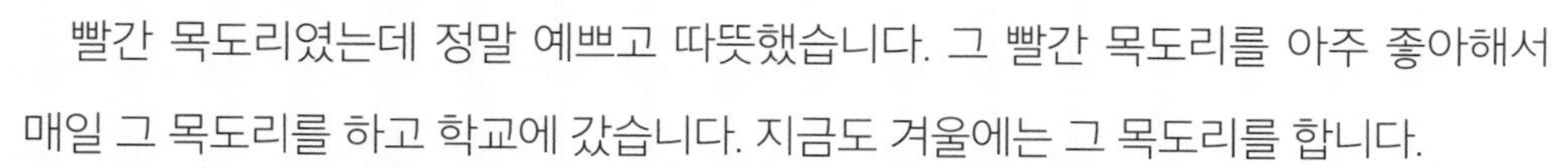

빨간 목도리였는데 정말 예쁘고 따뜻했습니다. 그 빨간 목도리를 아주 좋아해서 매일 그 목도리를 하고 학교에 갔습니다. 지금도 겨울에는 그 목도리를 합니다.

목도리를 하고 있으면 어머니의 웃는 얼굴이 생각납니다. 어머니께서 직접 만드셔서 저에게 너무 소중한 선물입니다. 여러분에게 가장 소중한 선물은 무엇입니까?

1) 마리 씨에게 가장 소중한 선물은 뭐예요? 왜 그게 소중해요?

2) 여러분에게 소중한 선물은 뭐예요? 이야기해 보세요.

2. 글을 읽고 여러분의 소중한 선물에 대해 글을 써 보세요. 언제, 누구에게 받았어요? 왜 그 선물이 소중해요?

새 어휘 | 기억에 남다

어휘와 표현

선물을 주다 / 선물을 하다 / 선물을 고르다 / 선물을 포장하다 / 선물을 받다 / 포장을 풀다 / 선물을 꺼내다 / 향수 / 넥타이 / 노트북 / 목걸이

문법

-(으)시-
어머니는 회사에 다니세요.

에게만, 에게도
안나 씨가 유진 씨에게만 편지를 줬어요.

안나 씨가 수지 씨에게 선물을 줬어요.
주노 씨에게도 선물을 줬어요.

자기 점검

1. 주거나 받은 선물에 대해 말할 수 있어요?
2. 소중한 선물을 소개할 수 있어요?

세종학당에 오다가
중학교 때 친구를 만났어요

특별한 기억을 설명할 수 있어요.

특별한 기억을 선물하는

마음 우체국

한국의 한 박물관에는 '마음 우체국'이 있습니다.
미래의 나에게 편지를 쓰면 일 년 후에 편지를 보내 줍니다.
일 년 전에 직접 쓴 편지를 받으면 특별할 것 같습니다.

1년 후의 나에게

기분

1. 오늘 친구의 기분이 어떤 것 같아요? √ 표시를 해 보세요. 그리고 듣고 따라 해 보세요.

□ 기분이 좋다 □ 기쁘다 □ 최고이다 □ 즐겁다 □ 신나다

□ 기분이 나쁘다 □ 힘들다 □ 짜증이 나다 □ 걱정이 많다 □ 지루하다

2. 이 사람은 기분이 어떨까요? 다음과 같이 알맞은 것을 연결해 보세요.

1)  시험에 합격했어요. • 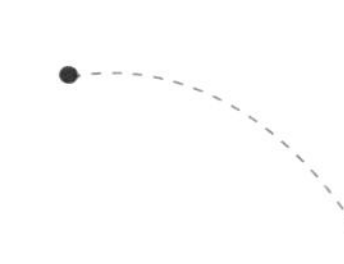 • 신나요.

2)  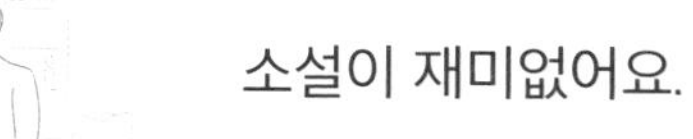 소설이 재미없어요. • • 짜증이 나요.

3)  새로운 곳을 여행해요. • • 최고예요.

4)   밖이 너무 시끄러워요. • • 지루해요.

5)  중요한 시험이 있어요. • • 걱정이 많아요.

3. 여러분은 오늘 기분이 어때요? 이야기해 보세요.

새 어휘 | 합격하다 / 곳 / 시끄럽다

-다가

동사와 결합하여 어떤 행위가 중단되고 다른 행위로 바뀔 때 사용해요. 어떤 일을 하는 도중에 그 일을 그만두거나 다른 일을 할 때도 사용해요.

가: 안나는 언제 잠이 들었어요?
나: 책을 읽다가 잠이 들었어요.

가: 유진은 언제 친구를 만났어요?
나: 세종학당에 가다가 친구를 만났어요.

1. 다음과 같이 문장을 완성해 보세요.

뉴스를 보다가 재미없어서 드라마를 봤어요.
(보다)

1) 커피를 .... 친구에게 전화했어요. (마시다)
2) 숙제를 .... 모르는 단어가 있어서 사전을 찾았어요. (하다)
3) 수영을 .... 그만두었어요. (배우다)
4) 케이크를 .... 실패했어요. (만들다)

2. 다음과 같이 문장을 완성해 보세요.

집에 가다가 → 집에 가다가 편의점에 들렀어요.
집에 가다가 선생님을 만났어요.

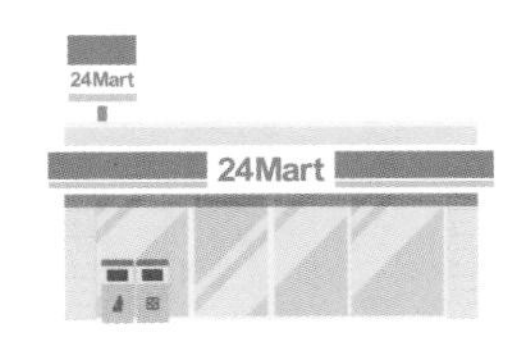

1) 밥을 먹다가 ....
2) 친구와 이야기를 하다가 ....
3) 영화를 보다가 ....
4) .... 얼마 전에 그만두었어요.

새 어휘 | 잠이 들다 / 뉴스 / 사전 / 그만두다 / 실패하다 / 들르다

–아/어 주다

동사와 결합하여 도움을 주는 행위를 나타낼 때 사용해요. 도움을 제안하거나 약속할 때, 또는 남에게 도움을 요청할 때 주로 사용해요.

1. 다음과 같이 대화를 완성해 보세요.

무엇을 도와드릴까요?

꽃집이 몇 층에 있어요?
좀 가르쳐 주세요.

(가르치다)

짐이 많아서 힘들지요?
제가 좀 들어 줄까요?

(들다)

네. 정말 고마워요.

1) 가: 어제 드라마 봤어요? 정말 재미있었지요?
나: 저는 못 봤어요. 내용 좀 .... (이야기하다)

2) 가: 어? 계산해야 하는데 지갑을 안 가져왔어요.
나: 제가 돈을 .... ? (빌리다)

3) 가: 수지 씨, 점심 먹었어요?
나: 네. 친구가 김밥을 .... (만들다)

2. 이 사람에게 무엇을 해 줄 거예요? 그림을 보고 이야기해 보세요.

새 어휘 | 지하철역 / 꽃집 / 짐 / 들다 / 내용 / 줍다 / 알리다

특별한 기억

1. **여러분은 옛 친구와 어떤 특별한 기억이 있어요? 유진 씨에게 무슨 좋은 일이 있는 것 같아요. 안나 씨와 유진 씨는 무슨 이야기를 할까요?**

안나: 유진 씨, 오늘 기분이 좋은 것 같아요.

유진: 네. 오늘 세종학당에 오다가 중학교 때 친구를 만났어요.

안나: 와, 중학교 때 친구요? 친한 친구였어요?

유진: 네. 옛날에 그 친구 집에서 자주 놀았어요.
친구 어머니께서 맛있는 음식도 많이 만들어 주셨어요.

안나: 정말 반가웠겠어요.

1) 유진 씨는 세종학당에 오다가 무슨 일이 있었어요?

2) 유진 씨는 중학교 때 친구와 어떤 특별한 기억이 있어요?

2. **다음과 같이 친구와 이야기해 보세요.**

유진 씨, 기분이 좋은 것 같아요.

세종학당에 오다가 중학교 때 친구를 만났어요.

아, 정말요?

네. 정말 반가웠어요.

1)	2)	3)	4)
기분이 좋다	신나다	기분이 나쁘다	
세종학당에 오다	계속 일만 하다	농구에서 이기고 있다	
중학교 때 친구를 만났다	주말에 여행을 다녀왔다	졌다	
반갑다	기분이 최고이다	짜증이 나다	

새 어휘 | 중학교 / 친하다 / 옛날 / 이기다 / 지다

친구와의 특별한 경험

1. 여러분은 오랫동안 만나지 못한 특별한 친구가 있어요? 안나 씨가 친구와의 특별한 경험을 소개하는 글을 썼어요. 무슨 내용일까요? 먼저 그림을 보고 생각해 보세요.

오늘 저는 오랜만에 민호를 만났습니다. 민호는 제가 한국을 여행할 때 사귄 친구입니다. 우리는 기차 안에서 이야기를 하다가 친구가 되었습니다. 민호는 저에게 부산을 소개해 줬습니다. 그동안 연락을 못 했는데 오랜만에 만나서 정말 반가웠습니다. 민호는 지금 우리 나라를 여행하고 있습니다. 우리는 내일 다시 만나기로 했습니다. 이번에는 제가 민호에게 우리 나라를 소개해 줄 겁니다.

1) 안나 씨와 민호 씨는 언제 어디에서 처음 만났어요? 어떤 특별한 경험이 있어요? 두 사람은 다시 만날 거예요?

2) 여러분은 친구와 어떤 특별한 기억이 있어요? 이야기해 보세요.

2. 친구와의 특별한 경험을 소개하는 글을 써 보세요. 그리고 발표해 보세요.

어휘와 표현

기분이 좋다 / 기쁘다 / 최고이다 / 즐겁다 / 신나다 / 기분이 나쁘다 / 힘들다 / 짜증이 나다 / 걱정이 많다 / 지루하다

문법

-다가

세종학당에 가다가 친구를 만났어요.

-아/어 주다

지하철역이 어디예요? 좀 알려 주세요.

자기 점검

1. 자신의 기분을 말할 수 있어요?
2. 특별한 기억을 설명할 수 있어요?

공연 중에 핸드폰을 사용하지 마세요

공연장에서 지켜야 하는 예절을 말할 수 있어요.

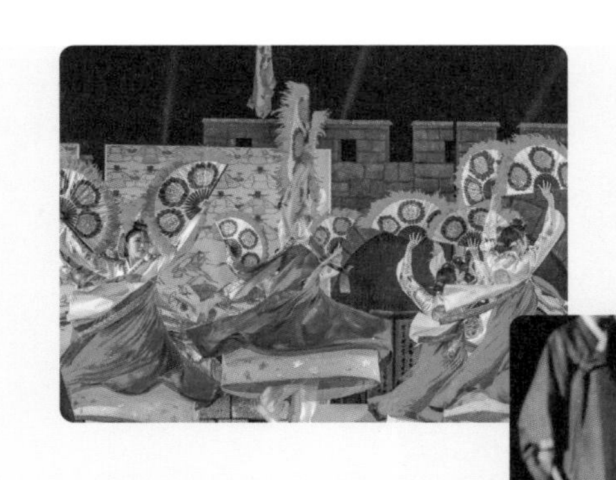

여러분은 공연 보는 것을
좋아해요? 어떤 공연을 봤어요?

공연을 볼 때 주변 사람 때문에
힘든 적이 있었어요? 이야기해 보세요.

앞에 앉은 사람이 자꾸 일어나서 불편했어요.

옆에 앉은 사람이 너무 시끄러웠어요.

뒤에 앉은 사람이 제 자리를 발로 찼어요.

공연 관람 예절

1. 케이팝(K-POP) 공연장에 가 본 적이 있어요? 공연 중에 어떤 행동을 하면 안 될까요?
모두 √ 표시를 해 보세요.

□ 음식을 먹으면서 보다

□ 자리를 바꾸다

□ 핸드폰으로 사진을 찍다

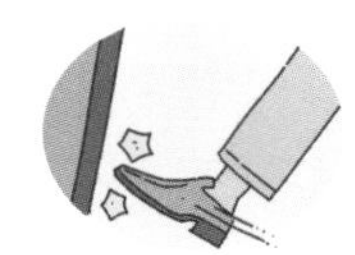
□ 앞자리를 발로 차다

□ 노래를 따라서 부르다

□ 자리에서 일어나다

□ 친구와 떠들다

□ 박수를 치다

□ 공연 중간에 나가다

2. 안나 씨가 공연장에 가서 안내 방송을 들어요. 다음을 잘 듣고 써 보세요.

안녕하십니까? 공연을 시작하기 전에 안내 말씀 드리겠습니다. 공연 중에는 ……………………
없습니다. 그리고 …………………………………… 없습니다. 공연 중간에는 ……………………
없습니다. 그럼 잠시 후에 공연을 시작하겠습니다. 감사합니다.

3. 그림에 있는 사람들은 공연장에서 무엇을 잘못했어요? 그림을 보고 이야기해 보세요.

공연장에서 사진을 찍었어요.

……………………………………

……………………………………

……………………………………

문법 1

–네요

형용사, 동사와 결합하여 말하는 사람이 직접 경험하여 새로 알게 된 사실을 말할 때 사용해요. 감탄의 뜻으로 많이 사용해요.

어? 비가 많이 오네요.

1. 다음과 같이 대화를 완성해 보세요.

공연장에 빈자리가 없어요.

네. 사람이 많이 왔네요.

(왔다)

1) 가: 안나 씨, 한국말을 정말 ______________. (잘하다)
   나: 아니에요. 아직 잘 못해요.

2) 가: 유진 씨도 그 펜을 샀어요? 저도 그 펜이 있어요.
   나: 정말요? 이 펜이 인기가 ______________. (많다)

3) 가: 집에서 회사까지 2시간 걸려요.
   나: 와, 집이 ______________. (멀다)

4) 가: 저 사람 배우 김민수 씨 아니에요?
   나: 그래요? 정말 ______________. (잘생겼다)

---

2. 그림을 보고 문장을 완성해 보세요.

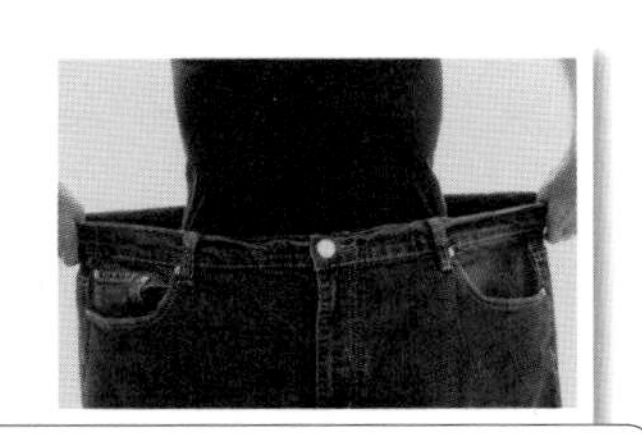

옷이 너무 크네요.

(크다)

1)  시험 문제가 생각보다 ______________. (어렵다)

2)  아이가 강아지를 정말 ______________. (좋아하다)

3) 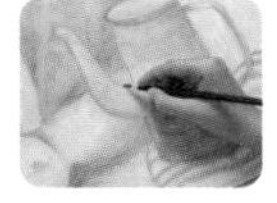 마리 씨, 그림을 아주 잘 ______________. (그리다)

4)  티셔츠가 정말 ______________. (멋지다)

---

3. 다음과 같이 친구와 이야기해 보세요.

유진 씨, 오늘 쓴 모자가 아주 멋있네요!

새 어휘 | 빈자리 / 한국말 / 잘생기다 / 문제 / 아이

문법 2

-지 말다

동사와 결합하여 다른 사람의 행위를 하지 못하게 함을 나타내요.

2B 5과

영화관에서 이것을 하지 마세요!

1. 그림을 보고 문장을 완성해 보세요.

핸드폰을 사용하지 마세요.
영화를 보면서 이야기하지 마세요.
쓰레기를 버리지 마세요.

1) 사진을 ______________. (찍다)

2) 여기에 ______________. (주차하다)

3) 이곳에서 자전거를 ______________. (타다)

4) 여기에서 담배를 ______________. (피우다)

2. 그림을 보고 문장을 완성해 보세요.

그릇을 만지지 마세요.
아주 뜨거워요.

(만지다)

1) 창문을 ______________
______________. (열다)

2) 안으로 ______________
______________. (들어가다)

3) 도서관에서 ______________
______________. (떠들다)

3. 세종학당에서 하지 말아야 할 것은 무엇일까요? 다음과 같이 이야기해 보세요.

수업 시간에 늦게 오지 마세요.

교실에서 음식을 먹지 마세요.

새 어휘 | 쓰레기 / 주차하다 / 담배 / 피우다 / 만지다

활동 1

춤 공연 관람

1. 여러분은 공연을 자주 보러 가요? 수지 씨와 유진 씨가 춤 공연을 보러 갔어요. 공연이 시작되기 전에 수지 씨가 유진 씨에게 질문을 해요. 무슨 질문을 할까요?

02

수지: 와, 사람이 아주 많네요!

유진: 그렇죠? 여기 안내 자료 받으세요.

수지: 고마워요, 유진 씨. 저는 춤 공연을 처음 보는데 뭘 조심해야 돼요?

유진: 다른 공연하고 비슷해요. 시작 전에 미리 들어가야 돼요. 그리고 공연 중에 박수를 치지 말고 핸드폰을 사용하지 마세요.

수지: 네. 알겠어요. 공연이 재미있으면 좋겠어요.

1) 수지 씨는 춤 공연을 자주 봐요?

2) 공연을 볼 때 무슨 행동을 하지 말아야 할까요?

2. 다음과 같이 친구와 이야기해 보세요.

와, 사람이 아주 많네요!

그렇죠? 여기 안내 자료 받으세요.

고마워요. 저는 춤 공연을 처음 보는데 뭘 조심해야 돼요?

공연장에서 음식을 먹지 마세요.

1)	2)	3)
사람이 아주 많다	극장이 멋있다	
안내 자료	극장 안내문	
춤 공연	연극	
공연장에서 음식을 먹다	공연을 보면서 이야기하다	

발음

공부하네요!

'-네요'가 들어가는 감탄문의 억양은 끝이 내려갔다가 살짝 올라가요.

듣고 따라 해 보세요.

- 사람이 아주 **많네요!**
- 공연이 정말 **재미있네요!**

새 어휘 | 안내 자료 / 조심하다 / 미리 / 극장 / 안내문 / 연극

공연 관람 예절 안내

1. 여러분은 홈페이지에서 공연을 찾아본 적이 있어요? 다음은 홈페이지에 있는 안내예요. 어떤 내용이 있을까요?

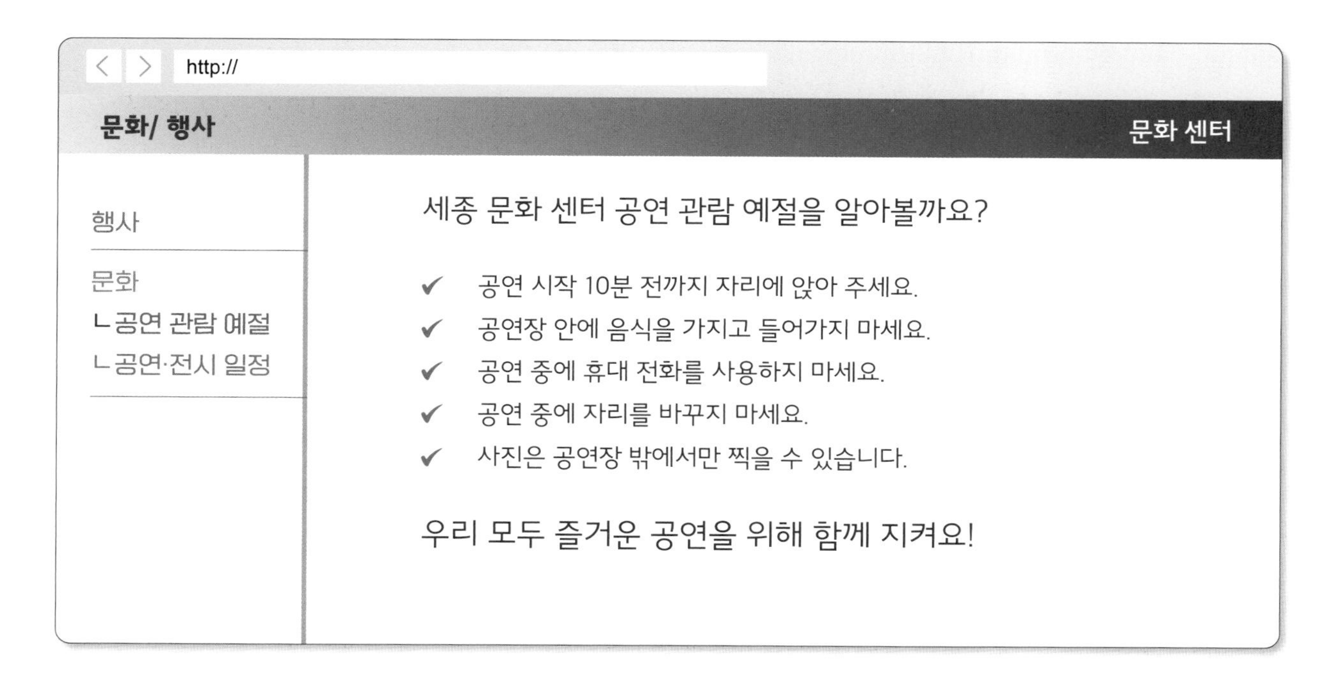

1) 홈페이지에 어떤 안내가 있어요?

2) 공연 관람 예절을 지키지 않으면 어떤 문제가 있을까요?

2. 공연장에서 지켜야 할 것을 써 보세요. 그리고 친구와 이야기해 보세요.

새 어휘 | 관람 / 예절 / 전시 / 일정 / 문화 센터 / 홈페이지

어휘와 표현

음식을 먹으면서 보다 /
자리를 바꾸다 /
핸드폰으로 사진을 찍다 /
앞자리를 발로 차다 /
노래를 따라서 부르다 /
자리에서 일어나다 /
친구와 떠들다 /
박수를 치다 /
공연 중간에 나가다

문법

-네요
와, 사람이 많네요.

-지 말다
영화관에서 핸드폰을 사용하지 마세요.

자기 점검

1. 다른 사람의 행동을 금지하는 말을 할 수 있어요?
2. 공연장에서 지켜야 하는 예절을 말할 수 있어요?

여기에서 노트북을 사용해도 돼요?

공공장소에서 지켜야 하는 예절을 말할 수 있어요.

위 그림은 어디예요?
여러 사람들이 함께 있는 곳,
함께 사용하는 장소를 '공공장소'라고 해요.

공공장소에는 모두 지켜야 하는
규칙이 있어요. 어떤 규칙이 있을까요?
이야기해 보세요.

미술관에서 그림을 만지지 않아요.

도서관에서 조용히 해요.

지하철 안에서 음식을 먹지 않아요.

- □ 병원
- □ 은행
- □ 지하철역
- □ 버스 정류장
- □ 공항
- □ 도서관
- □ 미술관

어휘와 표현

공공장소 규칙

1. 공공장소에서 다음 행동을 해도 괜찮아요? 괜찮은 것에 모두 √ 표시를 해 보세요.
그리고 듣고 따라 해 보세요.

□ 규칙을 잘 지키다

□ 줄을 서서 기다리다

□ 버스에 천천히 타다

□ 안전선을 넘다

□ 큰 소리로 노래를 듣다

□ 다른 사람을 밀다

□ 여기저기 뛰어다니다

□ 시끄럽게 통화하다

□ 쓰레기를 버리다

2. 다음 사람에게 뭐라고 할 거예요? 다음과 같이 알맞은 것을 연결해 보세요.

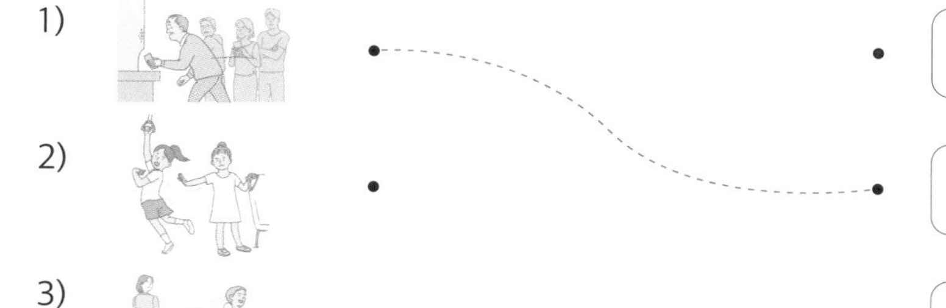

1) •   • 뛰어다니지 마세요.

2) •   • 줄을 서서 기다리세요.

3) •   • 쓰레기를 버리지 마세요.

4) •   • 시끄럽게 통화하지 마세요.

5) •   • 밀지 마세요.

3. 여러분은 공공장소에서 무엇을 제일 조심해요? 이야기해 보세요.

–아도/어도 되다

동사나 일부 형용사와 결합하여
어떤 일이나 상황에 대한 허락이나
허용을 나타낼 때 사용해요.
질문이나 대답에서 모두 사용할 수 있어요.

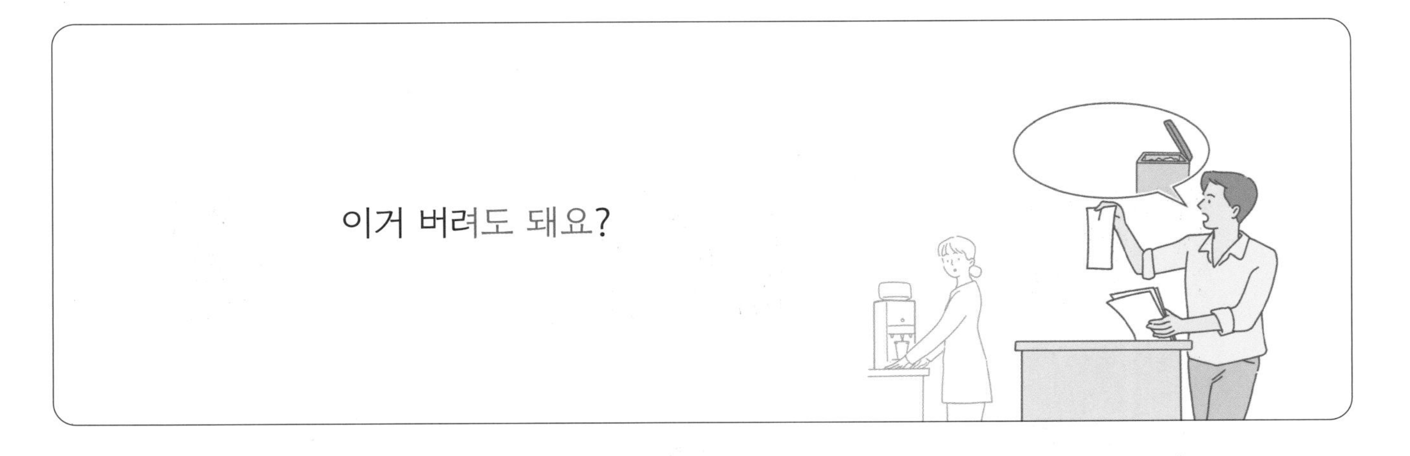

1. 다음과 같이 대화를 완성해 보세요.

이 종이 버려도 돼요?

네. 버려도 돼요. 고마워요.

(버리다)

1) 가: 여기는 음료수를 마실 수 있는 곳이에요?
   나: 네. 여기에서는 음료수를 ………………………… . (마시다)

2) 가: 기차 시간이 다 되었는데 저 먼저 표를 ………………………… ? (사다)
   나: 네. 먼저 사세요.

3) 가: 선생님, 오늘 동생 생일인데 빨리 집에 ………………………… ? (가다)
   나: 네. 알겠어요. 다음 시간에 만나요.

4) 가: 이 놀이 기구에 7살 아이가 ………………………… ? (타다)
   나: 네. 손님. 5살 이상이면 괜찮습니다.

5) 가: 이따 나갈 때 우산이 ………………………… ? (없다)
   나: 네. 오늘은 비가 안 올 거예요.

---

2. 다음 상황에서 어떻게 물어볼 거예요? 다음과 같이 이야기해 보세요.

1) 수업 시간에 책을 안 가져왔어요. [친구에게] → 책을 같이 봐도 돼요 ?

2) 식당에 갔는데 앉고 싶은 자리가 있어요. [점원에게] → ………………………… ?

3) 옷을 사러 갔는데 입어 보고 싶어요. [점원에게] → ………………………… ?

4) 학교에서 몸이 안 좋아요. [선생님께] → ………………………… ?

새 어휘 | 놀이 기구 / 이상 / 이따

문법 2

–(으)면 안 되다

동사나 일부 형용사와 결합하여 어떤 행위를 하지 못하게 하거나 어떤 상태가 되는 것을 금지함을 말할 때 사용해요.

2B
6과

😊 해도 괜찮아요!	☹ 하면 안 돼요!
음료수를 마셔요.	쓰레기를 버리면 안 돼요.
강아지와 같이 산책해요.	큰 소리로 노래하면 안 돼요.
자전거를 타요.	음식을 만들면 안 돼요.

1. 위의 공원 안내문을 보고 대화를 완성해 보세요.

공원에서 음료수를 마셔도 돼요?

네. 마셔도 돼요.

쓰레기를 버려도 돼요?

아니요. 쓰레기를 버리면 안 돼요.

1) 가: 강아지와 같이 산책해도 돼요?
   나: 네. ....

2) 가: 음식을 만들어도 돼요?
   나: 아니요. ....

3) 가: 자전거를 타도 돼요?
   나: 네. ....

4) 가: 큰 소리로 노래를 들어도 돼요?
   나: 아니요. ....

---

2. 한국에서는 무엇을 하면 안 돼요? 여러분 나라에서는 무엇을 하면 안 돼요? 다음과 같이 이야기해 보세요.

한국에서는 신발을 신고 방에 들어가면 안 돼요.

한국에서는 그릇을 들고 먹으면 안 돼요.

도서관 방문

1. 여러분은 도서관에 자주 가요? 마리 씨와 주노 씨가 도서관 앞에 도착해서 이야기해요.
두 사람은 무슨 이야기를 할까요?

마리: 주노 씨, 여기에서 노트북을 사용해도 돼요?
저는 이 도서관에 처음 와서요.

주노: 네. 써도 돼요. 그런데 조용히 사용해야 돼요.

마리: 알겠어요. 여기에서 음료수를 마셔도 돼요?

주노: 1층에서는 음료수를 마시면 안 돼요.

마리: 다른 층은 괜찮아요?

주노: 네. 2층에 음료수를 마시면서 책을 보는 곳이 있어요.

1) 도서관에서 노트북을 사용할 수 있어요?

2) 도서관에서 음료수를 마실 수 있는 곳은 어디예요?

2. 다음 장소에서는 무엇을 해도 되고 무엇을 하면 안 돼요? 다음과 같이 친구와 이야기하고 발표해 보세요.

> 교실에서는 노트북을 사용해도 돼요. 그리고 선생님께 질문을 많이 해도 돼요.
> 하지만 음식을 먹으면 안 되고 뛰면 안 돼요.

	장소	해도 돼요!	하면 안 돼요!
1)	교실	• 노트북을 사용해도 돼요. • 선생님께 질문해도 돼요.	• 음식을 먹으면 안 돼요. • 뛰면 안 돼요.
2)	도서관	• •	• •
3)	박물관	• •	• •
4)	버스 안	• •	• •
5)		• •	• •

새 어휘 | 조용히 / 사용하다 / 뛰다

공공장소의 규칙

1. 여러분이 있는 빌딩에서는 어떤 안내문을 볼 수 있어요?
세종 빌딩에 있는 안내문에는 무슨 내용이 있을까요?

우리 깨끗하고 편안한 빌딩을 만들어요!

안녕하세요? 관리실입니다. 우리 빌딩은 여러 사무실과 가게가 같이 사용합니다. 깨끗하고 편안한 빌딩을 함께 만들어요!

· 빌딩 계단과 엘리베이터, 화장실을 깨끗이 사용하세요.
· 입구 근처에서 담배를 피우면 안 됩니다.
· 지하 주차장에 차가 많으면 빌딩 앞쪽 주차장에 주차해도 됩니다.

감사합니다.

- 세종 빌딩 관리실.

1) 세종 빌딩에서는 무엇을 조심해야 해요?

2) 여러분이 본 안내문에는 어떤 내용이 있었어요? 이야기해 보세요.

2. 여러분은 어떤 장소에서 해도 되는 일과 하면 안 되는 일을 안내하고 싶어요.
장소를 골라서 다음과 같이 쓰고 에스엔에스(SNS)에도 올려 보세요.

세종학당 | 아파트 | 공원 | 교실 | ?

장소: 세종학당
내용: 지각하지 마세요. 책이 없으면 안 돼요. 복습을 꼭 하세요.

장소:
내용:

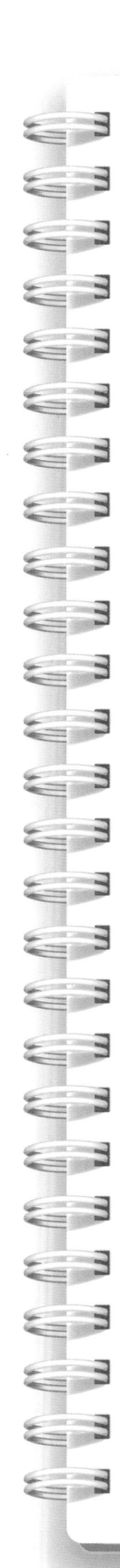

어휘와 표현

규칙을 잘 지키다 / 줄을 서서 기다리다 / 버스에 천천히 타다 / 안전선을 넘다 / 큰 소리로 노래를 듣다 / 다른 사람을 밀다 / 여기저기 뛰어다니다 / 시끄럽게 통화하다 / 쓰레기를 버리다

문법

-아도/어도 되다
여기에서 음료수를 마셔도 돼요.

-(으)면 안 되다
여기에 쓰레기를 버리면 안 돼요.

자기 점검

1. 해도 되는 것과 하면 안 되는 것을 말할 수 있어요?
2. 공공장소에서 지켜야 하는 예절을 말할 수 있어요?

마리 씨한테서
그 친구 이야기를 들었어요

다른 사람의 성격을 말할 수 있어요.

사람들은 모두 성격이 달라서
똑같은 상황에서도 하는 행동이 모두 달라요.
그림에 있는 사람들은 어때요?

여러분은 무엇을 더 좋아해요?
√ 표시를 해 보세요. 친구들과 좋아하는
것이 비슷해요? 이야기해 보세요.

1) □ 친구를 만나는 것 □ 혼자 있는 것

2) □ 친구와 이야기하는 것 □ 조용히 있는 것

3) □ 운동하는 것 □ 책을 읽는 것

4) □ 밖에서 활동하는 것 □ 안에서 활동하는 것

어휘와 표현

성격

1. 여러분은 어떤 성격이에요? 모두 √ 표시를 해 보세요. 그리고 듣고 따라 해 보세요.

□ 성격이 좋다 □ 성격이 급하다 □ 성격이 밝다 □ 착하다 □ 재미있다

□ 말이 많다 □ 말이 적다 □ 부지런하다 □ 게으르다 □ 활발하다

2. 다음과 같이 알맞은 것을 연결해 보세요.

1) 착해요. •	• 일을 빨리빨리 해요. 잘 못 기다려요.
2) 활발해요. •	• 다른 사람을 잘 도와줘요.
3) 부지런해요. •	• 일하는 것을 싫어하고 천천히 해요.
4) 성격이 급해요. •	• 오늘 할 일을 오늘 꼭 해요.
5) 게을러요. •	• 밝고 여러 가지 일을 많이 해요.

3. 여러분 친구들의 성격은 어때요? 다음과 같이 이야기해 보세요.

제 친구는 정말 착해요. 항상 저를 많이 도와줘요.

제 친구는 말이 좀 많지만 아주 재미있어요.

제 친구는 말이 너무 없어요. 조용한 사람이에요.

제 친구는 성격이 좋아요. 다른 사람에게 화를 잘 안 내요.

에게서, 한테서, 께

명사와 결합하여 어떠한 행위가 시작되는 대상을 나타낼 때 사용해요. '한테서'는 주로 구어에서 사용하고 '께'는 높여야 할 대상일 때 사용해요.

마리 씨에게서 전화를 받았어요.

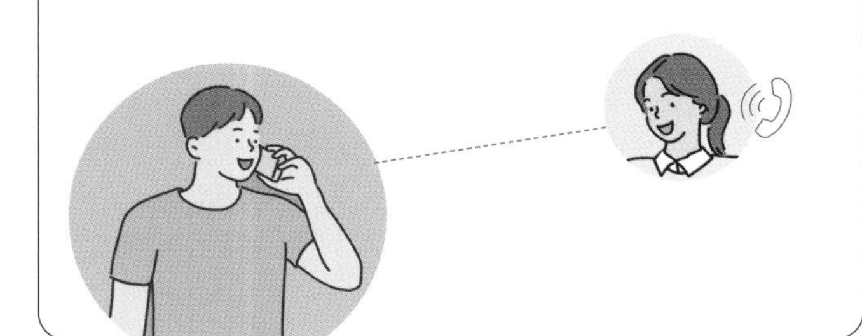

할머니께 선물을 받았어요.

1. 다음과 같이 문장을 완성해 보세요.

안나 씨는 마리 씨에게서 축하 편지를 받았어요.
(마리 씨)

재민 씨는 할아버지께 고향 이야기를 많이 들었어요.
(할아버지)

1) 저는 .... 한국 요리를 배웠어요. (한국 친구)
2) 저는 .... 여행 이야기를 들었어요. (동생)
3) 저는 .... 생일 선물을 받았어요. (아버지)
4) 저는 .... 한국어를 배웠어요. (선생님)
5) 저는 .... 어릴 때 이야기를 들었어요. (어머니)

---

2. 다음과 같이 친구와 이야기해 보세요.

지난 생일에 누구한테서 무슨 선물을 받았어요?

친구한테서 화장품을 받았어요.

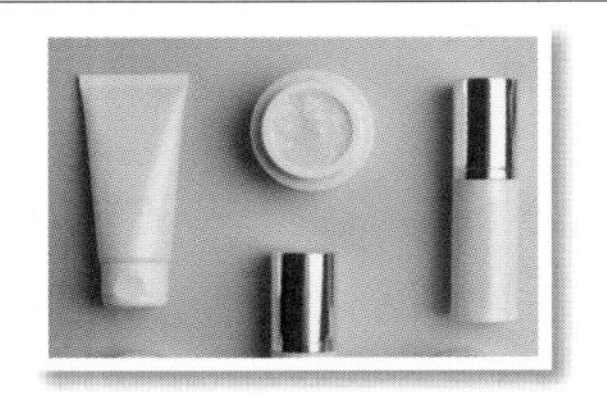

1) 학교 졸업식 때 누구한테서 무슨 선물을 받았어요?
2) 누구한테서 한국에 대한 이야기를 가장 많이 들었어요?
3) 가장 최근에 누구한테서 택배를 받았어요?
4) 오늘 누구한테서 에스엔에스(SNS) 메시지를 받았어요?

새 어휘 | 어리다 / 택배

문법 2

–(으)니까

동사와 결합하여 앞의 행동을 해서 뒤의 사실을 발견함을 나타낼 때 사용해요.

상자를 여니까 안에 선물이 있었어요.

1. 다음과 같이 문장을 완성해 보세요.

집에 가니까 손님이 계셨어요.
(가다)

1) 카페에 .... 친구가 기다리고 있었어요. (도착하다)
2) 일을 .... 벌써 밤 9시였어요. (끝내다)
3) 오랜만에 고향에 .... 동네가 많이 바뀌었어요. (돌아가다)
4) 아까 유진 씨를 .... 화난 것 같았어요. (보다)

2. 다음과 같이 알맞은 것을 연결하고 문장을 완성해 보세요.

1) 백화점에 가다 •	• 강아지가 옆에서 자고 있었어요.
2) 창문 밖을 보다 •	• 세일 기간이었어요.
3) 아침에 일어나다 •	• 비가 오고 있었어요.
4) 식당에 들어가다 •	• 어려운 단어가 많이 나왔어요.
5) 한국 노래를 듣다 •	• 맛있는 냄새가 났어요.
6) 친구에게 전화하다 •	• 집에 있었어요.

↓

1) 백화점에 가니까 세일 기간이었어요.
2) ....
3) ....
4) ....
5) ....
6) 친구에게 전화하니까 ....

새 어휘 | 상자 / 동네 / 바뀌다 / 화나다 / 세일 기간 / 냄새

활동 1

새로 온 학생

1. 여러분은 세종학당 친구들과 처음 만났을 때를 기억해요? 주노 씨와 안나 씨가 옆 반에 새로 온 학생에 대해 이야기해요. 무슨 이야기를 할까요?

주노: 안나 씨, 옆 반에 새로운 학생이 왔어요.

안나: 네. 알아요. 마리 씨한테서 그 친구 이야기를 들었어요.

주노: 마리 씨한테서요?

안나: 그 사람이 마리 씨 친구예요.
보니까 재미있는 사람인 것 같았어요.

주노: 저도 수업 끝나고 소개 좀 해 주세요.

안나: 좋아요. 같이 가요.

1) 안나 씨는 옆 반에 새로 온 학생을 어떻게 만났어요?

2) 옆 반에 새로 온 학생은 어떤 사람인 것 같아요?

2. 다음과 같이 친구와 이야기해 보세요.

유진 씨, 옆 반에 새로운 학생이 왔어요.

네. 알아요. 마리 씨한테서 듣고 이미 만났어요.

그 사람은 어떤 사람이에요?

보니까 재미있는 사람인 것 같아요.

1)	2)	3)
옆 반에 새로운 학생이 오다	옆집에 누가 이사 오다	
마리 씨	형/오빠	
보다	만나다	
재미있는 사람	말이 많은 사람	

발음

긴 문장은 중간에 끊어 읽어야 해요.
끊어 읽기(V) 표시에 주의하세요.

듣고 따라 해 보세요.

- 마리 씨한테서 듣고 **V** 이미 만났어요.
- 저도 **V** 수업 끝나고 **V** 소개 좀 해 주세요.

새 어휘 | 이미 / 옆집

활동 2

성격 테스트

1. '성격 테스트'를 해 본 적이 있어요? 그림으로 성격을 알아볼 수 있는 성격 테스트가 있어요. 어떤 성격이 있을까요?

두 그림은 서로 다른 것이 4개 있습니다. 잘 찾아보세요.

모두 찾았습니까? 여러분은 무엇을 제일 먼저 찾았습니까?

귀	다른 사람들이 생각하지 못하는 아이디어가 많습니다. 말이 없는 사람이지만 인기가 많습니다.
꽃	활발한 성격이고 재미있는 활동을 많이 합니다. 좋아하는 일을 할 때는 아주 열심히 합니다.
새	다른 사람이 볼 때 조금 게으를 수 있지만 사실 열심히 일하는 사람입니다. 갑자기 약속을 바꾸면 싫어합니다.
해	시간이 오래 걸리는 일도 끝까지 하는 부지런한 사람입니다. 좋은 친구가 많이 있습니다.

1) 여러분은 무엇을 제일 먼저 찾았어요? 여러분의 성격과 잘 맞는 것 같아요?

2) 여러분은 반에서 누구와 성격이 제일 비슷해요? 어떤 점이 비슷해요?

2. 여러분의 제일 친한 친구를 소개하는 글을 써 보세요. 어떤 성격이에요? 무엇을 좋아해요?

새 어휘 | 서로 / 아이디어 / 새 / 사실 / 갑자기 / 해

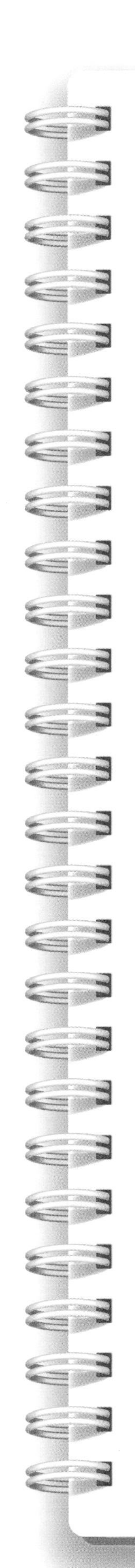

어휘와 표현

성격이 좋다 / 성격이 급하다 / 성격이 밝다 / 착하다 / 재미있다 / 말이 많다 / 말이 적다 / 부지런하다 / 게으르다 / 활발하다

문법

에게서, 한테서, 께
마리 씨에게서 전화를 받았어요.

-(으)니까
상자를 여니까 안에 선물이 있었어요.

자기 점검

1. 자신의 성격을 말할 수 있어요?
2. 다른 사람의 성격을 말할 수 있어요?

어렸을 때는 머리가 길었는데 지금은 짧은 머리가 편해요

어릴 때와 달라진 외모를 말할 수 있어요.

S 2B
8

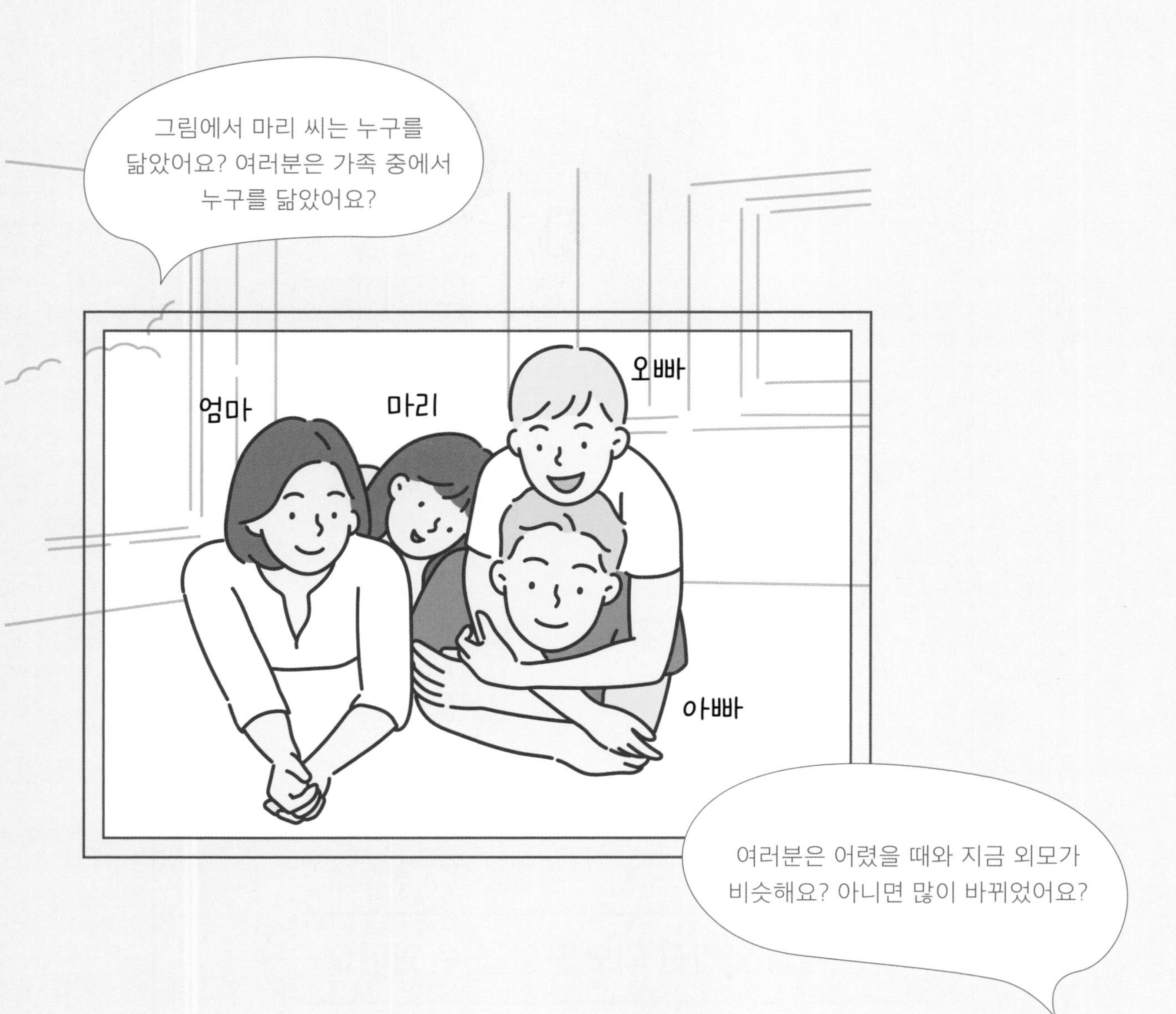
그림에서 마리 씨는 누구를
닮았어요? 여러분은 가족 중에서
누구를 닮았어요?
엄마
마리
오빠
아빠
여러분은 어렸을 때와 지금 외모가
비슷해요? 아니면 많이 바뀌었어요?

외모

1. 외모를 설명할 때 사용할 수 있는 표현이에요. 여러분이 아는 어휘에 √ 표시를 해 보세요. 그리고 듣고 따라 해 보세요.

얼굴	☐ 예쁘다	☐ 멋있다	☐ 귀엽다	☐ 잘생기다
몸	☐ 마르다	☐ 날씬하다	☐ 통통하다	
키	☐ 키가 크다	☐ 키가 보통이다	☐ 키가 작다	
머리 길이	☐ 머리가 길다	☐ 머리가 짧다		

2. 이 사람들의 어렸을 때 외모는 어땠어요? 다음과 같이 쓰고 이야기해 보세요.

1) 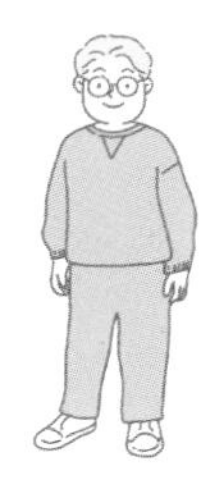

여섯 살
유진

유진은 귀엽고 통통했어요.
눈이 크고 안경을 썼어요.
키는 보통이었어요.

2) 

여섯 살
안나

3) 

여섯 살
마리

3. 여러분과 여러분 친구의 어렸을 때 모습은 어땠어요? 다음과 같이 이야기해 보세요.

저는 키가 크고 날씬했어요.

제 친구는 아주 귀엽고 키가 작았어요.

저는 조금 통통했어요.

제 친구는 머리가 항상 길었어요.

-는데/(으)ㄴ데

동사나 형용사와 결합하여 앞의 내용과 다른 상황이나 결과가 뒤에 나올 때 사용해요.

형은 키가 큰데 동생은 키가 작아요.

1. 다음 그림을 보고 문장을 완성해 보세요.

재민 씨 형은 키가 큰데 동생은 키가 작아요.

1) 500,000원 50,000원 이 가방은 ______________ 저 가방은 싸요.

2) 이 공원은 낮에는 사람이 ______________ 밤에는 적어요.

3) 저는 텔레비전을 ______________ 동생은 숙제를 해요.

4) 저는 매운 음식을 잘 ______________ 친구는 못 먹어요.

---

2. 어렸을 때와 지금 무엇이 바뀌었어요? 다음과 같이 쓰고 이야기해 보세요.

어렸을 때는 초콜릿을 좋아했는데
지금은 안 좋아해요.

어렸을 때는 노래방에 많이 갔는데
요즘은 자주 안 가요.

____.

____.

새 어휘 | 초콜릿

밖에

명사와 결합하여 다른 선택을 할 가능성이 없을 때 사용해요.
뒤에 반드시 '없다', '모르다', '안', '-지 않다' 등 부정 표현이 와요.

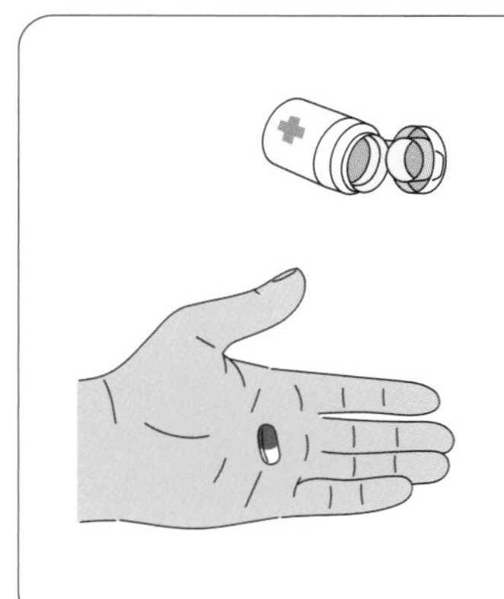

가: 약이 하나밖에 없어요.
나: 오늘 사러 가요.

1. **다음과 같이 대화를 완성해 보세요.**

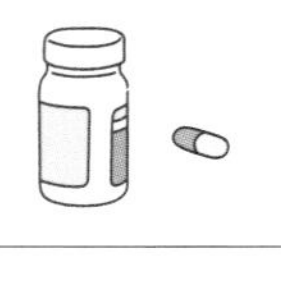

어, 비타민이 하나밖에 없어요.
(하나)
오늘 같이 사러 가요.

1) 가: 약속 시간이 얼마나 남았어요?
   나: .... 안 남았어요. 빨리 갑시다. (15분)

2) 가: 사람들이 많이 도착했어요?
   나: 아니요. 아직 .... 없어요. (세 명)

3) 가: 생일 선물 많이 받았어요?
   나: 아니요. .... 못 받았어요. (한 개)

4) 가: 안나 씨, 혹시 빨간색 펜 있어요?
   나: 아니요. .... 없어요. (파란색 펜)

5) 가: 이번에도 운동화를 샀어요?
   나: 네. 저는 .... 안 신어요. 편하니까요. (운동화)

---

2. **여러분은 요즘 무엇에 가장 관심이 있어요? 다음과 같이 이야기해 보세요.**

저는 요즘 불고기밖에 안 먹어요.

저는 배우 김민수 씨밖에 몰라요.

저는 요즘 케이팝(K-POP)밖에 관심이 없어요.

저는 여자 친구밖에 몰라요.

저는 한국 친구가 두 명밖에 없어요.

새 어휘 | 비타민 / 남다 / 관심

활동 1

어렸을 때 모습

1. 여러분은 어렸을 때 어땠어요? 유진 씨와 수지 씨가 사진을 보면서 이야기해요. 무슨 이야기를 할까요?

02

유진: 이거 무슨 사진이에요? 이 아이가 수지 씨예요?

수지: 네. 어렸을 때 오빠하고 찍은 사진이에요.

유진: 정말 귀여워요. 그때는 머리가 길었네요.

수지: 네. 어렸을 때는 머리가 길었는데 지금은 짧은 머리가 편해요.

유진: 두 사람 얼굴이 아주 밝아요. 오빠하고 친했어요?

수지: 그럼요. 그때는 오빠밖에 몰랐어요. 항상 오빠랑 같이 다녔어요.

1) 수지 씨는 어렸을 때 어떤 모습이었어요?

2) 수지 씨는 어렸을 때와 지금 모습이 비슷해요?

2. 다음과 같이 친구와 이야기해 보세요.

저는 어렸을 때는 키가 작고 말랐는데 지금은 보통이에요. 어렸을 때는 항상 머리가 길었는데 지금은 짧은 머리가 편해요. 전에는 고기를 아주 좋아했는데 지금은 고기보다 채소나 과일을 더 좋아해요. 그리고 옛날에는 만화책밖에 몰랐는데 지금은 소설책을 많이 읽어요.

		1)	2)
외모	어렸을 때	• 키가 작고 말랐다. • 머리가 길었다.	
	지금	• 키가 보통이다. • 머리가 짧다.	
좋아하는 것	어렸을 때	• 고기를 아주 좋아했다. • 만화책밖에 몰랐다.	
	지금	• 채소나 과일을 더 좋아한다. • 소설책을 좋아한다.	

새 어휘 | 그때 / 모습

활동 2

주노 씨의 형

1. **여러분은 형제가 몇 명이에요? 주노 씨는 형을 소개하는 글을 썼어요. 무슨 내용일까요? 먼저 그림을 보고 생각해 보세요.**

저는 형이 한 명 있습니다. 저와 형은 어렸을 때 축구밖에 모르는 아이들이었습니다. 수업이 끝나면 하루 종일 축구장에 있었습니다. 우리는 커서 축구 선수가 되고 싶었습니다. 하지만 형은 화가가 되었고 저는 회사원이 되었습니다. 어렸을 때 형은 항상 저보다 컸습니다. 저는 어렸을 때 키가 작고 통통했는데 지금은 형보다 크고 날씬합니다. 저는 지금도 가끔 축구를 하러 가는데 형은 그림밖에 모릅니다.

1) 두 사람은 어렸을 때 무엇이 되고 싶었어요? 지금은 무슨 일을 해요?

2) 여러분은 어렸을 때 무엇이 되고 싶었어요? 이야기해 보세요.

2. **여러분의 어렸을 때 꿈과 지금 하는 일에 대해서 글을 써 보세요. 그리고 발표해 보세요.**

새 어휘 | 하루 종일 / 축구장 / 축구 선수 / 화가

어휘와 표현 | 예쁘다 / 멋있다 / 귀엽다 / 잘생기다 / 마르다 / 날씬하다 / 통통하다 / 키가 크다 / 키가 보통이다 / 키가 작다 / 머리가 길다 / 머리가 짧다

문법 | -는데/(으)ㄴ데
형은 키가 큰데 동생은 키가 작아요.

밖에
비타민이 하나밖에 없어요.

자기 점검

1. 다른 사람의 모습을 말할 수 있어요?
2. 어릴 때와 지금의 외모를 비교해서 말할 수 있어요?

저도 그런 사람을 만나고 싶은데요!

만나고 싶은 사람에 대해 말할 수 있어요.

여러분은 만나고 싶은 사람이 있어요?
누구를 만나고 싶어요?

여러분이 가장 좋아하는 가수나 배우,
운동선수는 누구예요?
여러분은 그 사람을 왜 좋아해요?
다음과 같이 이야기해 보세요.

노래를
(연기를/운동을) 잘해요.

성격이 좋은 것 같아요.
일을 열심히 해요.

인기가 많아요.
좋은 일을 많이 해요.

웃는 얼굴이 예뻐요.

인물의 특징

1. 여러분은 어떤 사람에게 관심이 있어요? 가장 관심이 있는 것 3개에 √ 표시를 하고 이야기해 보세요. 그리고 듣고 따라 해 보세요.

□ 성격이 편안하다	□ 잘 웃다	□ 생각이 깊다
□ 성격이 비슷하다	□ 취미가 비슷하다	□ 말이 잘 통하다
□ 마음이 따뜻하다	□ 마음이 넓다	□ 마음이 잘 맞다

2. 다음과 같이 알맞은 것을 연결해 보세요.

1) 말이 잘 통해요. •	• 다른 사람이 잘못한 것을 잘 이해해요.
2) 취미가 비슷해요. •	• 두 사람이 생각하는 것이 비슷해요.
3) 마음이 넓어요. •	• 두 사람이 대화할 때 편하고 잘 맞아요.
4) 생각이 깊어요. •	• 두 사람이 좋아하는 일이 비슷해요.
5) 마음이 잘 맞아요. •	• 무슨 일을 하기 전에 많이 생각해요.

3. 여러분은 친구들에게 어떤 사람이 되고 싶어요? 다음과 같이 이야기해 보세요.

저는 친구들에게 마음이 따뜻하고 편안한 사람이 되고 싶어요. 그리고 말이 잘 통하는 사람이 되어서 친구와 이야기를 많이 할 거예요.

문법 1

-기 때문에

동사나 형용사와 결합하여 어떤 일의 이유나 원인을 나타낼 때 사용해요. 명사 뒤에서 '시험 때문에'와 같이 쓰기도 하고, '-기 때문이다'와 같이 문장 끝에서 쓸 수도 있어요.

지금은 그 핸드폰이 나오지 않기 때문에 고칠 수 없습니다.

1. 다음과 같이 대화를 완성해 보세요.

핸드폰이 고장 났어요. 고칠 수 있을까요?

손님, 죄송합니다. 지금은 그 핸드폰이 나오지 않기 때문에 고칠 수 없습니다.

(나오지 않다)

1) 가: 내일 5시에 예약할 수 있어요?
   나: 죄송합니다. 내일 저희 식당이 문을 .... 예약이 안 됩니다. (닫다)

2) 가: 기숙사는 많은 사람이 같이 .... 규칙이 많아요. (살다)
   나: 네. 선생님. 잘 확인하겠습니다.

3) 가: 여기 병원이 몇 층에 있어요?
   나: 3층입니다. 그런데 지금은 .... 2시 이후에 가셔야 합니다. (점심시간이다)

---

2. 다음과 같이 문장을 완성해 보세요.

저는 잠이 많기 때문에

저는 잠이 많기 때문에 아침에 늦게 일어나요.

저는 잠이 많기 때문에 알람 시계가 많이 필요해요.

1) 요즘 사람들은 스트레스를 많이 받기 때문에
....

2) 내일 친구의 생일이기 때문에
....

3) 저는 감기 때문에
....

4) 어제 비가 많이 왔기 때문에
....

새 어휘 | 고장 나다 / 저희 / 기숙사 / 이후 / 알람 시계

문법 2

-는데요 / (으)ㄴ데요

동사나 형용사와 결합하여 어떤 사실에 대해 감탄할 때 사용해요. 강조할 때에는 느낌표(!)를 쓸 수 있어요.

2B 9과

이번 노래도 정말 좋은데요!

1. 다음과 같이 대화를 완성해 보세요.

손님, 음식 맛이 어떠세요?

정말 맛있는데요!

(맛있다)

1) 가: 이 원피스가 어때요? 잘 어울려요?
   나: 네. 마리 씨에게 정말 잘 ______________! (어울리다)

2) 가: 손님, 이 신발은 어떠세요?
   나: 가격이 너무 ______________. 좀 싼 것은 없어요? (비싸다)

3) 가: 사무실이 정말 ______________! (깨끗하다)
   나: 그렇죠? 오늘은 모두 같이 청소했어요.

4) 가: 다음 주에 시험이 있으니까 오늘부터 준비할 거예요.
   나: 벌써요? 빨리 ______________! (시작하다)

2. 그림을 보고 알맞은 단어를 골라 ○ 표시를 하고 이야기해 보세요.

오늘 날씨가 너무 더운데요.

(덥다 / 춥다 / 시원하다)

1) 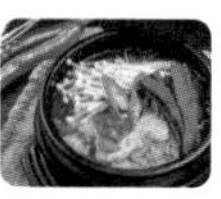 안나 씨가 매운 음식을 잘 ______________. (먹다 / 마시다 / 보다)

2) 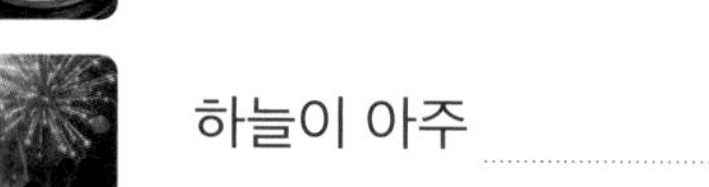 하늘이 아주 ______________! (크다 / 많다 / 아름답다)

3)  주노 씨가 선물을 많이 ______________. (받다 / 주다 / 있다)

3. 다음과 같이 반 친구들에게 오늘 잘한 것이나 특별한 것을 이야기해 보세요.

주노 씨, 오늘 옷이 정말 멋있는데요.

안나 씨, 오늘 한국어 발음이 좋은데요.

새 어휘 | 하늘 / 발음

활동 1

만나고 싶은 사람

1. 여러분은 만나고 싶은 사람이 있어요? 안나 씨와 수지 씨가 만나고 싶은 사람에 대해 이야기해요. 무슨 이야기를 할까요?

02

안나: 수지 씨, 우리 언니가 이번 9월에 결혼해요.

수지: 정말요? 잘됐네요. 저도 빨리 좋은 사람을 만나고 싶어요.

안나: 어떤 사람을 만나고 싶어요?

수지: 저는 취미 생활이 중요하기 때문에 취미가 비슷한 사람을 만나고 싶어요. 쉬는 날 같이 사진을 찍으러 다니고 싶어요.

안나: 와, 멋진데요! 저도 그런 사람을 만나고 싶어요!

1) 수지 씨는 취미가 뭐예요?

2) 수지 씨는 어떤 사람을 만나고 싶어 해요?

2. 여러분은 어떤 사람을 만나고 싶어요? 다음과 같이 친구와 이야기해 보세요.

저는 취미 생활이 중요하기 때문에 취미가 비슷한 사람을 만나고 싶어요. 그 사람하고 쉬는 날 함께 취미 생활을 하고 싶어요.

	중요한 것	만나고 싶은 사람	하고 싶은 것
1)	취미 생활	취미가 비슷한 사람	그 사람하고 쉬는 날 함께 취미 생활을 하고 싶다
2)	성격	마음이 넓은 사람	그 사람하고 싸우지 않고 잘 지내고 싶다
3)	생각	생각이 깊은 사람	그 사람하고 많은 이야기를 하고 싶다
4)	직업	직업이 비슷한 사람	좋아하는 사람과 같이 일하고 싶다
5)			

발음

결혼
[결혼]

'ㅎ'이 'ㄴ, ㄹ, ㅁ, ㅇ' 다음에 올 때는 'ㅎ'을 약하게 발음할 수도 있어요.

듣고 따라 해 보세요.

- 언니가 9월에 **결혼해요.**
- 저는 오늘 **은행에** 갈 거예요.

새 어휘 | 싸우다

마음이 맞는 친구

1. 여러분과 마음이 잘 맞는 사람은 누구예요? 이 사람은 얼마 전에 만난 수지 씨에 대해 글을 썼어요. 무슨 내용일까요?

저는 마음이 맞는 친구가 별로 없습니다.

그래서 저를 잘 이해하는 친구를 만나고 싶었습니다.

그런데 얼마 전에 유학생 모임에서 수지 씨를 처음 만났습니다.

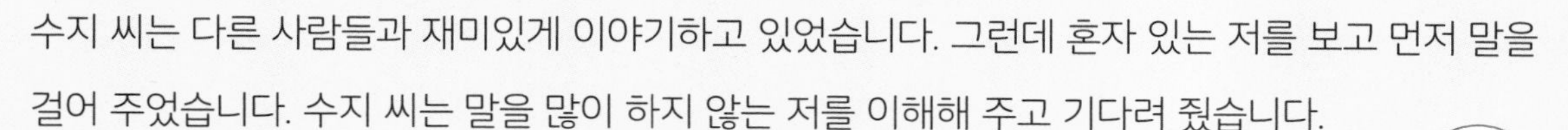

수지 씨는 다른 사람들과 재미있게 이야기하고 있었습니다. 그런데 혼자 있는 저를 보고 먼저 말을 걸어 주었습니다. 수지 씨는 말을 많이 하지 않는 저를 이해해 주고 기다려 줬습니다.

수지 씨는 마음이 따뜻한 사람인 것 같습니다. 수지 씨와 마음이 잘 맞는 친구가 되고 싶습니다.

1) 이 사람은 수지 씨를 어디에서 처음 만났어요? 수지 씨는 어떤 사람이에요?

2) 여러분은 누구와 마음이 잘 맞아요? 그리고 누구와 말이 잘 통해요?

---

2. 여러분은 어떤 친구와 사귀고 싶어요? 왜 그런 친구를 사귀고 싶어요? 다음과 같이 사귀고 싶은 친구에 대해서 글을 써 보세요.

저는 말이 잘 통하는 친구를 사귀고 싶어요. 힘든 일이 있을 때 같이 이야기할 수 있기 때문이에요.

어휘와 표현

성격이 편안하다 / 잘 웃다 /
생각이 깊다 / 성격이 비슷하다 /
취미가 비슷하다 / 말이 잘 통하다 /
마음이 따뜻하다 / 마음이 넓다 /
마음이 잘 맞다

문법

-기 때문에
지금은 그 핸드폰이 나오지 않기 때문에
고칠 수 없습니다.

-는데요/(으)ㄴ데요
이번 노래도 정말 좋은데요!

자기 점검

1. **다른 사람의 특징을 말할 수 있어요?**
2. **만나고 싶은 사람에 대해 말할 수 있어요?**

산악자전거는 조금 위험한 편이에요

꼭 해 보고 싶은 일을 말할 수 있어요.

여러분은 예전부터 꼭 해 보고 싶은데
못 한 일이 있어요?

그 일을 지금 바로 할 수 있어요?

네

그럼 무엇을 해야 해요?

아니요

왜 바로 못 해요?

특별한 경험

1. 여러분은 시간이 있을 때 뭘 하는 것을 좋아해요? 듣고 따라 해 보세요.

전통 놀이 방송국	다른 나라 유명한 장소	맛집 예쁜 카페	여러 나라의 동전 좋아하는 만화책
을/를 체험하다	을/를 방문하다	을/를 찾아가다	을/를 모으다

2. 여러분은 어떤 특별한 경험을 하고 싶어요? 모두 √ 표시를 해 보세요.

□ 해외여행을 하다

□ 산악자전거를 타다

□ 악기를 만들다

□ 전통 춤을 배우다

□ 전통 요리를 배우다

□ 연기를 배우다

□ 새벽 운동을 시작하다

□ 나만의 책을 만들다

□ ……………

3. 친구에게 특별한 일을 소개할 거예요. 그림을 보고 대화를 완성해 보세요.

계속 일만 하니까 특별한 것을 해 보고 싶어요.

해외여행을 해 보는 게 어때요?

1)
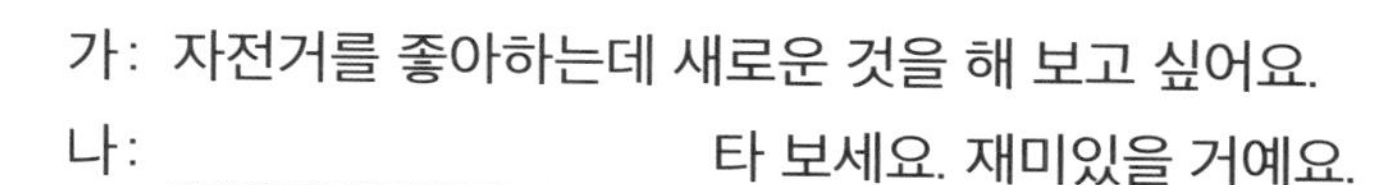
가: 자전거를 좋아하는데 새로운 것을 해 보고 싶어요.
나: ……………… 타 보세요. 재미있을 거예요.

2)

가: 저는 전에 배우가 되고 싶었어요.
나: ……………… 배워 보세요. 취미로 할 수 있어요.

3)

가: 인터넷에 소설을 써 보고 싶어요.
나: 좋은데요! ……………… 만드는 사람도 있어요.

-는/(으)ㄴ 편이다

동사나 형용사와 결합하여 어떤 사실에 대해 대체로 어떤 쪽에 가깝다거나 속한다고 말할 때 쓰는 표현이에요.

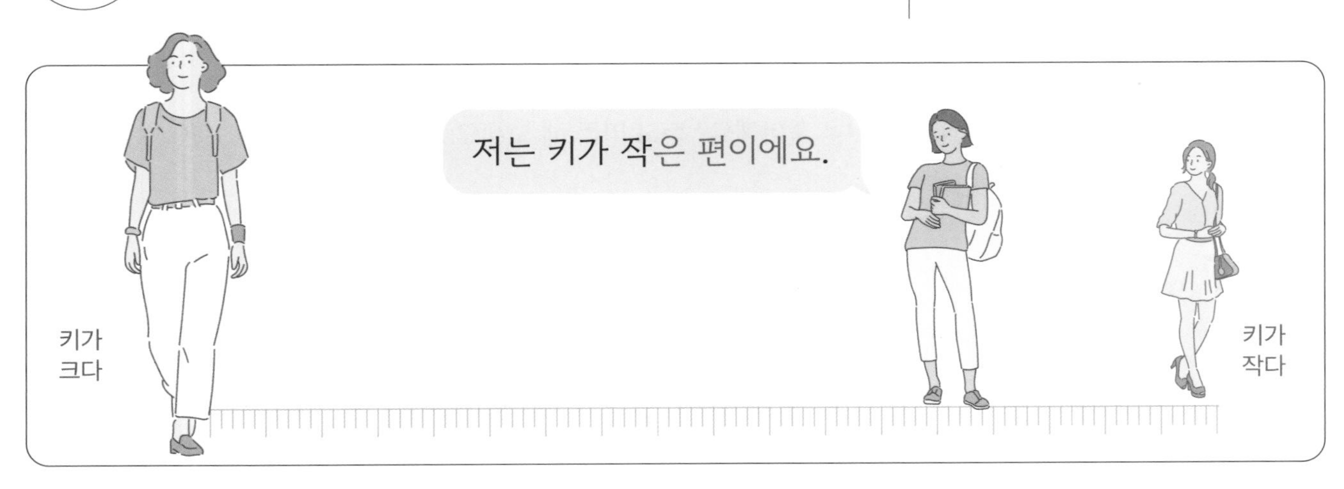

1. 그림을 보고 문장을 완성해 보세요.

저는 요리하는 것을 좋아하는 편이에요.

(좋아하다)

1) 제 친구는 농구를 .... (잘하다)

2) 제 방은 .... (깨끗하다)

3) 저는 일 때문에 다른 나라를 자주 .... (방문하다)

4) 동생은 성격이 .... (활발하다)

2. 다음과 같이 이야기해 보세요.

키가 큰 편이에요?

네. 큰 편이에요.

아니요. 작은 편이에요.

(크다 / 작다)

1) 오늘 날씨가 .... ? (맑다 / 흐리다)

2) 운동을 .... ? (잘하다 / 못하다)

3) 매운 음식을 .... ? (잘 먹다 / 잘 못 먹다)

4) 음식을 .... ? (잘 만들다 / 못 만들다)

3. 여러분은 무엇을 잘하는 편이에요? 이야기해 보세요.

문법 2

-게

동사나 형용사와 결합하여 뒤의 행위에 대한 목적이나 결과를 나타내요. 앞의 상황을 이루기 위해 뒤에 조건이나 방법이 나올 때 사용해요.

집에 가져가게 포장해 주세요.

1. 다음과 같이 대화를 완성해 보세요.

남은 피자 가져가게 포장해 주세요.

(가져가다)

네. 손님. 알겠습니다.

1) 가: 오늘 등산하러 가는데 날씨가 많이 추워요.
   나: .... 따뜻한 옷을 입으세요. (춥지 않다)

2) 가: 이 떡볶이는 정말 안 매워요.
   나: 네. 아이들도 .... 만들었어요. (먹을 수 있다)

3) 가: 교실이 좀 덥고 답답한 것 같아요.
   나: 바람이 .... 창문을 좀 열까요? (들어오다)

4) 가: 이 소설책 정말 재미있어요. 저도 .... 좀 빌려주세요. (읽다)
   나: 네. 빌려줄게요.

---

2. 다음과 같이 문장을 완성해 보세요.

아침에 늦게 일어나지 않게

아침에 늦게 일어나지 않게 일찍 자요.

아침에 늦게 일어나지 않게 알람 시계를 맞춰요.

1) 피곤하지 않게 ....

2) 건강을 지킬 수 있게 ....

3) 한국어를 잘할 수 있게 ....

4) 약속을 잊어버리지 않게 ....

5) .... 조용히 말했어요.

새 어휘 | 가져가다 / 답답하다 / 맞추다 / 건강 / 잊어버리다

활동 1

더 늦기 전에 해 보고 싶은 일

1. **시간이 지나면 할 수 없는 일은 무엇일까요?**
마리 씨와 재민 씨가 해 보고 싶은 일에 대해 이야기해요. 무슨 이야기를 할까요?

마리: 재민 씨, 뭘 보고 있어요?

재민: 산악자전거를 알아보고 있어요. 옛날부터 꼭 타 보고 싶었어요.

마리: 그거 위험하지 않아요?

재민: 조금 위험한 편이에요. 하지만 더 늦으면 못 할 것 같아서요.

마리: 다치지 않게 조심하세요.

재민: 네. 더 늦기 전에 이번에는 꼭 해 보려고요.

1) 재민 씨가 해 보고 싶은 것이 뭐예요?

2) 왜 그 일을 하고 싶어요?

2. **다음과 같이 친구와 이야기해 보세요.**

저는 옛날부터 산악자전거를 타 보고 싶었어요.
그런데 조금 위험한 편이에요.

다치지 않게 조심하세요.

네. 늦기 전에 이번에는 꼭 해 보려고요.

1)	2)	3)	4)
산악자전거를 타다	연기를 하다	해외여행을 하다	
조금 위험하다	조금 늦었다	돈이 많이 들다	
다치지 않다	더 늦지 않다	할인을 받을 수 있다	
조심하다	빨리 시작하다	잘 알아보다	

새 어휘 | 위험하다 / 돈이 들다 / 할인을 받다

올해 꼭 하고 싶은 일

1. 여러분은 올해 무엇을 꼭 하고 싶어요?
회사원 1,300명에게 올해 꼭 하고 싶은 일에 대해 물어봤어요. 무슨 대답이 가장 많을까요?

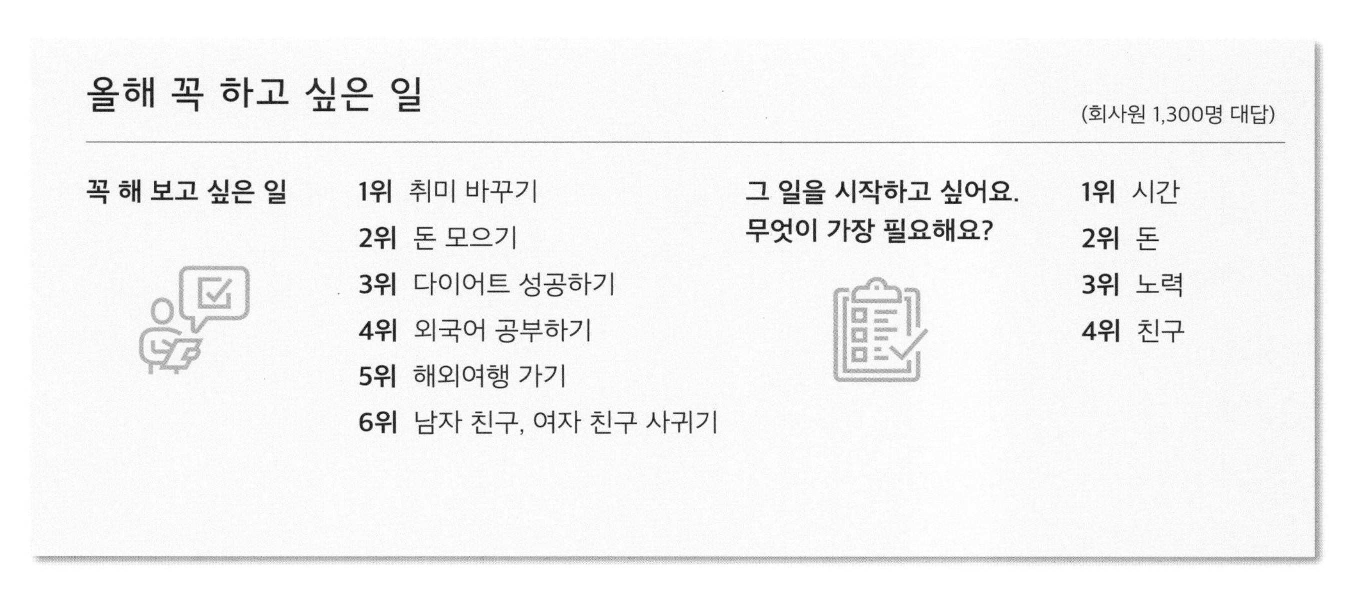

1) 회사원이 해 보고 싶어 하는 일은 뭐예요? 어떤 대답이 가장 많았어요?

2) 여러분 나라의 회사원들은 무엇에 관심이 많을까요? 학생들은 어떨까요? 이야기해 보세요.

2. 여러분은 올해 안에 꼭 하고 싶은 일이 있어요? 쓰고 이야기해 보세요.

♡ 올해 꼭 하고 싶은 일 ♡	☆ 나에게 필요한 것은? ☆
1)	1)
2)	2)
3)	3)

새 어휘 | 올해 / 다이어트 / 성공하다 / 노력 / 위(1위, 2위)

어휘와 표현

체험하다 / 방문하다 / 찾아가다 / 모으다 / 해외여행을 하다 / 산악자전거를 타다 / 악기를 만들다 / 전통 춤을 배우다 / 전통 요리를 배우다 / 연기를 배우다 / 새벽 운동을 시작하다 / 나만의 책을 만들다

문법

-는/(으)ㄴ 편이다
저는 키가 작은 편이에요.

-게
남은 피자 가져가게 포장해 주세요.

자기 점검

1. 평소에 할 수 없는 특별한 일들을 말할 수 있어요?
2. 꼭 해 보고 싶은 일을 말할 수 있어요?

처음에는 모르는 게 많아서 답답했어

달라진 점을 말할 수 있어요.

학교생활을 잘하는 방법을 읽어 보세요.
여러분이 하고 있는 것은 뭐예요?

학교생활을 잘하는 방법

1. 동아리 활동을 해요.
2. 에스엔에스(SNS) 활동을 즐겁게 해요.
3. 선배와 친하게 지내요.
4. 게시판을 자주 확인해요.

회사 생활을 잘하는 방법

1. 중요한 것은 메모해요.
2. 컴퓨터를 배워요.
3. 감사 인사를 잘해요.
4. 다른 사람의 작은 장점도 칭찬해요.

회사 생활을 잘하는 방법을 읽어 보세요.
여러분이 하고 있는 것은 뭐예요?

위의 내용에서 새롭게 알게 된 것,
더 알고 싶은 것을 메모하고
친구나 선생님께 질문해 보세요.

새롭게 알게 된 것 메모하기	더 알고 싶은 것 메모하기
게시판을 자주 확인해요.	장점을 어떻게 칭찬하면 좋아요?

변화

1. 알맞은 것을 연결해 보세요.

답답하다 •	• 학교에 오다가 넘어졌어요. 다른 사람들이 저를 보고 있었어요.
부족하다 •	• 내가 하고 싶은 말을 한국어로 못해요.
부끄럽다 •	• 음식을 5인분 준비했는데 8명이 왔어요.
실수하다 •	• 선생님을 '생선님'이라고 불렀어요.

2. 그림을 보고 알맞은 것을 찾아 써 보세요.

변하다	알아듣다
잘하다	익숙해지다

1) 

서울이 많이 ....

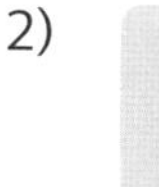

이제는 한국어를 잘 ....

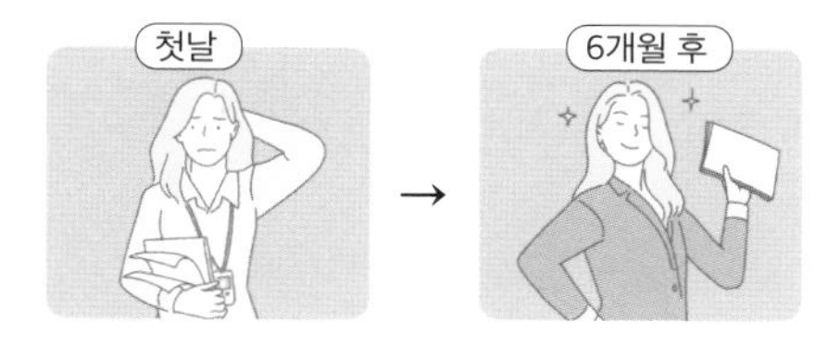

지금은 회사 생활에 많이 ....

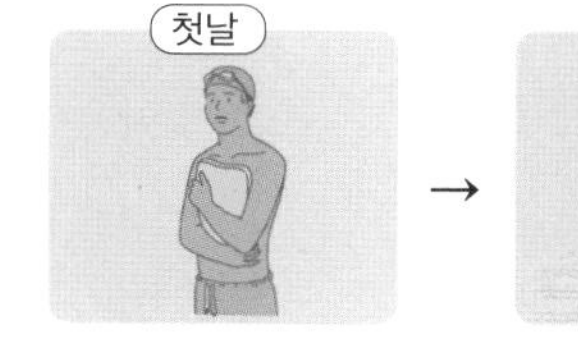

5년 동안 수영을 해서 지금은 수영을 ....

3. 잘 듣고 빈칸에 알맞은 말을 써 보세요.

1) 차가 많이 막혀서 ....
2) 한국어를 1년밖에 안 배웠는데 정말 ....
3) 회사 생활이 처음엔 힘들었는데 지금은 많이 ....

–아/어

동사나 형용사와 결합하여
반말을 할 때 사용해요.
친한 사람이나 나이가 어린
사람에게 쓰는 말이에요.

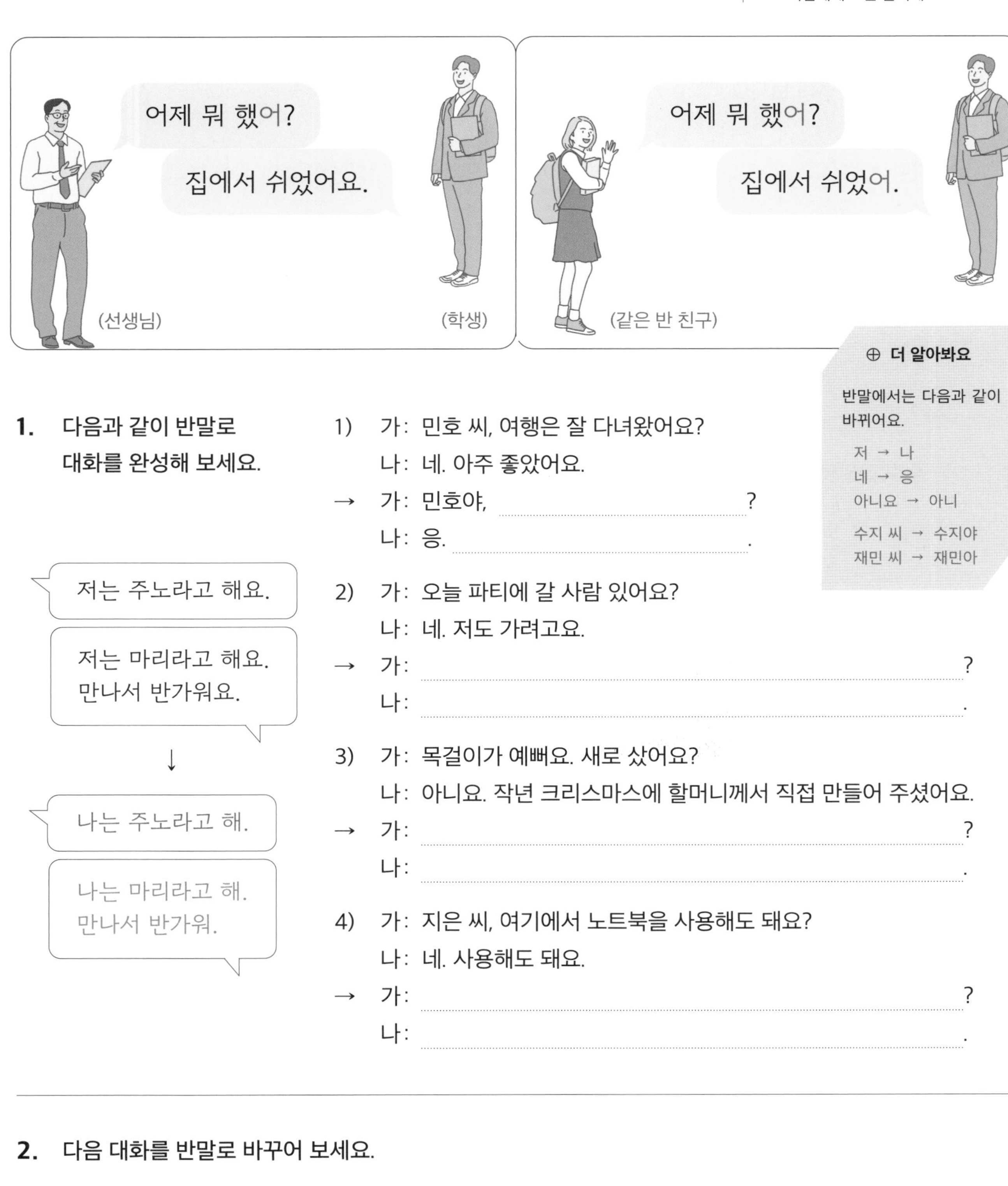

⊕ **더 알아봐요**

반말에서는 다음과 같이 바뀌어요.

저 → 나
네 → 응
아니요 → 아니
수지 씨 → 수지야
재민 씨 → 재민아

1. 다음과 같이 반말로 대화를 완성해 보세요.

저는 주노라고 해요.

저는 마리라고 해요.
만나서 반가워요.

↓

나는 주노라고 해.

나는 마리라고 해.
만나서 반가워.

1) 가: 민호 씨, 여행은 잘 다녀왔어요?
나: 네. 아주 좋았어요.
→ 가: 민호야, ______________________?
나: 응. ______________________.

2) 가: 오늘 파티에 갈 사람 있어요?
나: 네. 저도 가려고요.
→ 가: ______________________?
나: ______________________.

3) 가: 목걸이가 예뻐요. 새로 샀어요?
나: 아니요. 작년 크리스마스에 할머니께서 직접 만들어 주셨어요.
→ 가: ______________________?
나: ______________________.

4) 가: 지은 씨, 여기에서 노트북을 사용해도 돼요?
나: 네. 사용해도 돼요.
→ 가: ______________________?
나: ______________________.

---

2. 다음 대화를 반말로 바꾸어 보세요.

가: 여기에서 음료수를 마셔도 돼요? → ______________________?
나: 아니요. 1층에는 음료수를 가지고 들어가면 안 돼요. → ______________________.
가: 다른 층은 괜찮아요? → ______________________?
나: 네. 2층에 음료수를 마시면서 책을 보는 곳이 있어요. → ______________________.

에는, 에서는

'에는'은 조사 '에'와 조사 '는',
'에서는'은 조사 '에서'와 조사 '는'이
결합한 거예요. 장소나 시간 등을
강조하거나 대조할 때 사용해요.

밖에는 사람이 많네요.

여기에서는 사진을 찍으면 안 돼요.

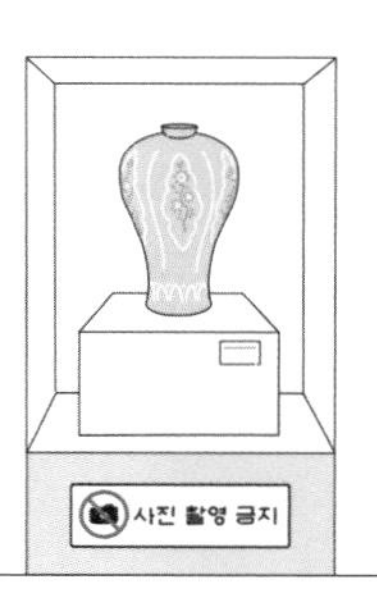

1. 알맞은 것을 골라 대화를 완성해 보세요.

에는

에서는

1) 가: 여기에서 밥을 먹어도 돼요?
   나: 아니요. 여기 ______________ 밥을 먹으면 안 돼요.

2) 가: 처음부터 한국어가 쉬웠어요?
   나: 아니요. 처음 ______________ 한국어가 어려웠어요.

3) 가: 주말에도 한국어를 배워요?
   나: 아니요. 주말 ______________ 한국어를 배우지 않아요. 집에서 쉬어요.

4) 가: 여기서 사진을 찍어도 돼요?
   나: 네. 박물관 안 ______________ 사진을 찍으면 안 되지만 밖 ______________ 사진을 찍어도 돼요.

---

2. 그림을 보고 알맞은 것을 골라 보세요. 그리고 다음 이야기를 이어서 만들어 보세요.

오늘은 제 생일이에요. 저는 동생과 쌍둥이예요. 우리 집(① 에서는 / ② 에만) 생일날 가족이 모여 저녁을 먹어요. 엄마는 저(① 에게는 / ② 에게도) 목걸이를, 동생(① 에게서 / ② 에게는) 지갑을 선물로 주셨어요. 지갑(① 에는 / ② 에도) 돈이 들어 있었어요.

....

....

....

새 어휘 | 쌍둥이 / 생일날

활동 1

나의 변화

1. **여러분은 처음 한국어를 배울 때와 비교해서 변한 것이 있어요?**
안나 씨와 재민 씨가 요즘 자신의 변화에 대해 반말로 이야기해요. 무슨 이야기를 할까요?

안나: 재민아, 요즘 회사 생활은 어때?
재민: 처음보다 많이 좋아졌어. 넌, 한국어 배우는 거 어때?
안나: 나도 처음에는 모르는 게 많아서 답답했어. 실수도 많이 하고.
재민: 그랬구나. 학교에서도 한국어를 배워?
안나: 아니. 학교에서는 안 배우고 세종학당에서만 배워.
재민: 와, 그런데 한국어를 작년보다 아주 잘하는 것 같아.
안나: 그래? 고마워.

1) 재민 씨의 회사 생활은 요즘 어때요?

2) 안나 씨는 어디에서 한국어를 배워요?

2. **다음과 같이 친구와 이야기해 보세요.**

한국어 공부는 어때?
처음엔 실수도 많이 했어.
지금은 잘하는 거 같은데?
응. 지금은 많이 좋아졌어.

1)	2)	3)
한국어 공부	회사 생활	
실수도 많이 하다	부족한 게 많다	
좋아지다	익숙해지다	

발음

학교에서도 한국어를 배워? [↗]

반말에서도
물어보는 문장에서는
끝을 올려서 말해요.

듣고 따라 해 보세요.

재민: 학교에서도 한국어를 **배워**?
안나: 응.

새 어휘 | 좋아지다

친구들에게 마음을 표현하기

1. 우리 반 친구들에게 나의 마음을 표현하는 편지를 쓰려고 해요. 어떤 내용을 쓸까요?

마리에게
이번 학기 세종학당에서 만나서 너무 좋았어.
우리 다음 학기에도 같이 공부해.
-안나.

마리, 네가 내 생일을 기억해 줘서
너무 고마웠어. 나에게는 네가 천사야.
같은 반에서 공부해서 행복했어.
- 진.

한국어를 잘하는 마리.
내가 물어볼 때마다 잘 가르쳐 줘서 고마워.
- 너의 친구, 유진.

난 우리 반 친구들이 너무 좋아. 다음 학기에도
같이 공부하고 싶어. 이제는 화요일마다
공부하는 것이 익숙해졌어. 방학에도 화요일에
만나서 우리 한국어 연습할까? 연락해.
- 친구 해리.

난 아직 한국어를 못해서 답답해.
너에게는 더 예쁜 말을 쓰고 싶은데
아직 한국어가 부족해. 사랑해.
- 리사.

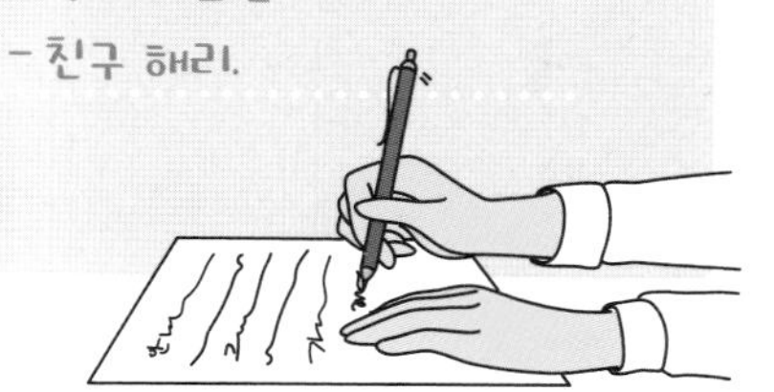

1) 진 씨와 유진 씨는 마리 씨에게 뭐가 고마워요?

2) 여러분은 우리 반 친구들에게 고마운 것이 있어요? 친구와 이야기해 보세요.

---

2. 우리 반 친구들에게 여러분의 마음을 표현하는 짧은 글을 반말로 써 보세요.
그리고 친구에게 보여 주세요.

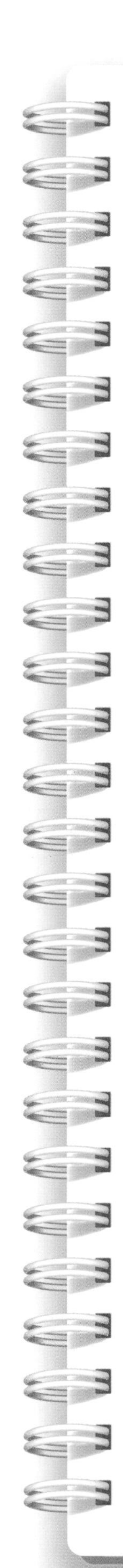

어휘와 표현

답답하다 / 부족하다 / 부끄럽다 / 실수하다 / 변하다 / 알아듣다 / 잘하다 / 익숙해지다

문법

-아/어
어제 뭐 했어?

에는, 에서는
밖에는 사람이 많네요.

자기 점검

1. 친한 사람과 반말을 사용해서 이야기할 수 있어요?
2. 한국어를 배우기 전과 후의 달라진 점을 말할 수 있어요?

난 너처럼 카페를 하고 싶어

하고 싶은 일을 묻고 답할 수 있어요.

S 2B

12

여러분은 어떤 것이 더 좋아요?

1

좋아하는 음식
365일 돈 안 내고 먹기

좋아하는 케이팝(K-POP) 가수,
스타와 저녁 식사 하기

2

멋진 사랑 하기

10억 받기

왜 그렇게 생각해요?
메모하고 이야기해 보세요.

내가 선택한 것	그 이유

희망 사항

1. 아는 것에 √ 표시를 해 보세요. 그리고 듣고 따라 해 보세요.

01

□ 유학하다
□ 대학원에 진학하다
□ 취직하다
□ 가게를 열다/카페를 열다

CIAO! HEJ! HALLO! 안녕!

□ 혼자 세계 여행을 하다
□ 인터넷 소설을 쓰다
□ 외국어를 잘하다
□ 취미를 만들다

2. 그림을 보고 대화를 완성해 보세요.

1) 가: 대학을 졸업하면 무엇을 할 거예요?
나: 저는 ______________________.

2) 가: 이번 방학에는 무엇을 하고 싶어요?
나: 저는 ______________________.

3) 가: 수지 씨, 오빠는 요즘 뭐 해요?
나: 얼마 전에 ______________________.

4) 가: 자기 전에는 보통 뭐 해요?
나: 저는 ______________________.

3. 여러분은 1년 후에, 5년 후에 하고 싶은 일이 있어요? 다음과 같이 이야기해 보세요.

저는 1년 후에 한국 여행을 갈 거예요. 그리고 5년 후에는 대학원에 진학할 거예요.

	하고 싶은 일
1년 후	
5년 후	

문법
1

처럼

명사와 결합하여 앞의 명사와 비슷하거나 같음을 나타내요.

가: 어떻게 살고 싶어요?
나: 새처럼 자유롭게 살고 싶어요.

가: 친구는 어떤 사람이에요?
나: 제 친구는 천사처럼 착해요.

1. 다음과 같이 문장을 완성해 보세요.

동생 | 가수 | 노래를 잘하다

↓

동생이 가수처럼 노래를 잘해요.

1) 제 친구, 선수, 축구를 잘하다
→ .

2) 안나 씨, 한국 사람, 말하다
→ .

3) 가을, 여름, 덥다
→ .

4) 구두, 운동화, 편하다
→ .

---

2. 다음과 같이 문장을 완성해 보세요.

1) 저, 엄마, 의사가 되고 싶다
→ 저는 엄마처럼 의사가 되고 싶어요.

2) 동생, 토끼, 귀엽다
→ .

3)
→ .

새 어휘 | 자유롭다 / 엄마 / 토끼

문법 2

-게 되다

동사와 결합하여 어떤 영향으로 상황이나 상태가 변한 것을 나타낼 때 사용해요.

2B 12과

1년 전: 한국어를 몰랐어요.

1년 후: 한국어를 잘하게 되었어요.

세종학당에서 한국어를 공부하고 있는데요. 저는 한국어가 재미있어요.

1. 다음과 같이 문장을 완성해 보세요.

음식이 맛있다

자주 오다

↓

음식이 맛있어서 자주 오게 되었어요.

1) 한국 문화를 좋아하다, 한국어를 배우다

→ ______________________.

2) 친구가 이사를 하다, 자주 못 만나다

→ ______________________.

3) 언니가 도와주다, 지갑을 찾다

→ ______________________.

4) 커피를 좋아하다, 카페를 열다

→ ______________________.

---

2. 다음 질문에 어떤 대답을 할 수 있을까요? 친구와 이야기해 보세요.

1) 여행을 자주 하지요? 여행을 자주 하니까 달라진 것이 있어요?

- 좋은 사람을 많이 만나게 되었어요.
- 다른 나라 문화를 많이 알게 되었어요.
- ______________________

2) 한국어를 배우고 있지요? 한국어를 배우니까 달라진 것이 있어요?

- 한국을 좋아하게 됐어요.
- ______________________
- ______________________

3) 어릴 때와 달라진 것이 있어요?

- ______________________
- ______________________
- ______________________

새 어휘 | 문화 / 달라지다

활동 1

앞으로의 계획

1. 여러분은 앞으로 더 하고 싶은 일이 있어요? 유진 씨와 케빈 씨가 앞으로 하고 싶은 것을 이야기해요. 무슨 이야기를 할까요?

유진: 케빈, 넌 앞으로 하고 싶은 거 있어?

케빈: 글쎄. 혼자 세계 여행을 하고 싶어. 넌?

유진: 음. 난 너처럼 카페를 하고 싶어. 너 어떻게 카페를 열게 됐어?

케빈: 커피를 너무 좋아해서 하게 됐어.

유진: 앞으로도 계속 할 거야?

케빈: 응. 세상에서 가장 맛있는 커피를 만드는 사람이 되고 싶어.

1) 케빈 씨와 유진 씨는 앞으로 무엇을 하고 싶어 해요?

2) 케빈 씨는 왜 카페를 하게 되었어요?

2. 다음과 같이 친구와 이야기해 보세요.

너 앞으로 더 잘하고 싶은 거 있어?

응. 난 한국어 선생님처럼 한국어를 잘하고 싶어. 너는?

난 한국 친구를 많이 사귀고 싶어.

한국어 공부를 열심히 하면 한국 친구를 많이 사귈 수 있게 될 거야.

1)
- 한국어 선생님, 한국어를 잘하고 싶다
- 한국 친구를 많이 사귀다
- 한국어 공부를 열심히 하다

2)
- 너, 운동을 잘하고 싶다
- 그림 전시회를 하다
- 지금처럼 그림을 열심히 그리다

3)
-
-
-

새 어휘 | 세상 / 전시회

하고 싶은 일

1. 여러분은 10대로 돌아가면 무슨 일을 하고 싶어요? 40대 회사원들에게 20대로 돌아가면 하고 싶은 일에 대해 질문했어요. 어떤 대답이 나왔을까요? 먼저 그림을 보고 생각해 보세요.

20대가 꼭 해야 할 일

회사원 2,284명에게 물었습니다.
질문은 '20대로 돌아가게 되면 꼭 하고 싶은 일은 무엇입니까?'입니다.
대답은 다음과 같습니다.

1위 여행하기 -여행에서 많은 경험을 하게 돼요.
2위 사랑하기 -예쁜 사랑으로 추억을 만들어요.
3위 공부하기 -배우는 것은 끝이 없어요.

4위 저축하기 -미래 준비는 습관이 중요해요.
5위 놀기 -내일이 오지 않을 것처럼 놀아요.
5위 가족과 시간 보내기 -역시 남는 것은 가족밖에 없어요.
6위 운동하기 -건강한 생활이 중요하니까 운동을 해야 해요.
7위 친구 만들기 -가족처럼 편한 친구를 만들어야 외롭지 않아요.

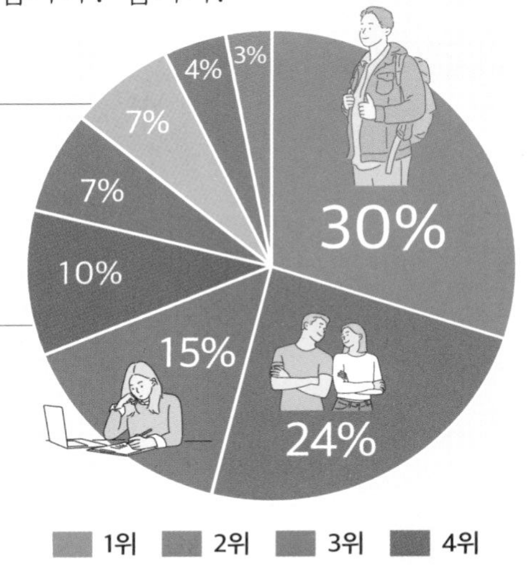

1) 위의 조사에서 1위와 3위는 뭐예요?

2) 여러분은 20대에 무슨 일을 꼭 하고 싶어요?

2. 위의 조사를 다시 읽어 보세요. 여러분에게는 뭐가 중요해요? 그 순서를 정해 보세요. 그 이유도 쓰고 발표해 보세요.

새 어휘 | 대 / 추억 / 저축하다 / 미래 / 역시 / 외롭다

어휘와 표현

유학하다 / 대학원에 진학하다 / 취직하다 / 가게를 열다 / 카페를 열다 / 혼자 세계 여행을 하다 / 인터넷 소설을 쓰다 / 외국어를 잘하다 / 취미를 만들다

문법

처럼
새처럼 자유롭게 살고 싶어요.

-게 되다
한국어를 잘하게 되었어요.

자기 점검

1. 희망 사항 표현을 사용하여 자신의 계획을 말할 수 있어요?
2. 하고 싶은 일을 묻고 답할 수 있어요?

부록

01 이번 주 금요일에 동아리 모임 할래요?

어휘와 표현 | 2번 | 15쪽

잘 듣고 빈칸에 알맞은 말을 써 보세요.

1) 가: 어디에서 파티를 해요? 장소를 결정했어요?
   나: 아직 못 정했어요. 지금 좋은 장소를 알아보고 있어요.
2) 가: 파티에서 뭘 하면 재미있을까요?
   나: 같이 게임하면 재미있을 것 같아요. 게임을 좀 준비할까요?
3) 가: 3시에 모임을 하면 배고플 것 같은데 뭘 좀 준비할까요?
   나: 좋아요. 간식을 준비하는 게 좋을 것 같아요.
4) 가: 우리 반 친구들이 어떤 음악을 좋아할까요?
   나: 음. 친구들의 취향을 물어보는 게 좋을 것 같아요.

활동 1 | 1번 | 18쪽

여러분은 동아리 모임을 해 본 적이 있어요? 무엇을 준비해야 할까요? 안나 씨와 마리 씨가 동아리 모임 이야기를 해요. 무슨 이야기를 할까요?

안나: 마리 씨, 시험도 끝났으니까 우리 이번 주 금요일에 동아리 모임을 할래요? 친구들 모아서 그동안 연습한 춤 공연도 하고요.
마리: 좋아요! 같이 준비해요. 어디에서 모임을 할까요?
안나: 글쎄요. 공연하기 좋은 장소를 좀 알아볼게요.
마리: 알겠어요. 그럼 저는 간식을 준비할게요.
안나: 다른 친구들도 많이 오면 좋을 것 같은데 연락해 볼까요?
마리: 좋은 생각이에요!

02 세종학당에서부터 걸어서 10분쯤 걸려요

어휘와 표현 | 2번 | 23쪽

그림과 알맞은 표현을 연결해 보세요. 그리고 듣고 따라 해 보세요.

1) 앞으로 쭉 가다 2) 왼쪽으로 돌아가다(좌회전하다)
3) 오른쪽으로 돌아가다(우회전하다)

활동 1 | 1번 | 26쪽

여러분은 처음 가는 장소에 갈 때 어떻게 길을 찾아요? 유진 씨와 주노 씨가 모임 장소에 가는 방법을 이야기해요. 무슨 이야기를 할까요?

유진: 오늘 춤 동아리 모임이 있죠? 세종학당에서 출발할 사람 있어요?
주노: 네. 저요. 모임 장소가 하나 카페죠? 세종학당에서 멀어요?
유진: 아니요. 멀지 않아요. 세종학당에서부터 걸어서 10분쯤 걸려요.
주노: 그래요? 어떻게 가요?
유진: 세종학당 앞에서 횡단보도를 건너면 영화관이 나와요. 그 영화관에서 오른쪽으로 돌아가면 하나 카페가 있어요.
주노: 아, 한 번 가 본 것 같아요. 수업 끝나고 같이 갈까요?
유진: 네. 좋아요.

03 할머니께서 직접 만드신 목걸이예요

어휘와 표현 | 3번 | 31쪽

잘 듣고 빈칸에 알맞은 말을 써 보세요.

1) 가: 뭘 보고 있어요?
   나: 다음 주에 마리 씨 생일이 있어서 인터넷으로 선물을 고르고 있어요.
2) 가: 다음 달에 친구가 외국에 공부하러 가는데 뭘 하면 좋을까요?
   나: 선물을 주는 게 어때요?
3) 가: 동생에게 무슨 선물을 하면 좋을까요?
   나: 이번에 취직했으니까 넥타이를 선물하는 게 어때요?
4) 가: 무슨 선물을 받고 싶어요?
   나: 저는 노트북을 받고 싶어요.

활동 1 | 1번 | 34쪽

여러분에게 소중한 물건은 뭐예요? 누가 준 거예요? 주노 씨와 안나 씨가 소중한 물건에 대해 이야기를 해요. 무슨 이야기를 할까요?

주노: 안나 씨, 오늘 목걸이가 예뻐요. 새로 샀어요?
안나: 아, 아니요. 작년 크리스마스에 받은 선물이에요. 우리 할머니께서 직접 만드신 목걸이예요.
주노: 와, 직접요? 할머니께서 너무 멋있으세요.
안나: 네. 그래서 저에게 정말 소중한 목걸이예요. 디자인은 조금 다르지만 동생에게도 주셨어요.
주노: 목걸이를 볼 때마다 할머니가 생각날 것 같아요.
안나: 네. 지금 할머니 이야기를 하니까 할머니가 더 보고 싶어요.

04 세종학당에 오다가 중학교 때 친구를 만났어요

어휘와 표현 | 1번 | 39쪽

오늘 친구의 기분이 어떤 것 같아요? √ 표시를 해 보세요. 그리고 듣고 따라 해 보세요.

□ 기분이 좋다 □ 기쁘다 □ 최고이다
□ 즐겁다 □ 신나다
□ 기분이 나쁘다 □ 힘들다 □ 짜증이 나다
□ 걱정이 많다 □ 지루하다

활동 1 | 1번 | 42쪽

여러분은 옛 친구와 어떤 특별한 기억이 있어요? 유진 씨에게 무슨 좋은 일이 있는 것 같아요. 안나 씨와 유진 씨는 무슨 이야기를 할까요?

안나: 유진 씨, 오늘 기분이 좋은 것 같아요.
유진: 네. 오늘 세종학당에 오다가 중학교 때 친구를 만났어요.
안나: 와, 중학교 때 친구요? 친한 친구였어요?
유진: 네. 옛날에 그 친구 집에서 자주 놀았어요.
친구 어머니께서 맛있는 음식도 많이 만들어 주셨어요.
안나: 정말 반가웠겠어요.

05 공연 중에 핸드폰을 사용하지 마세요

어휘와 표현 | 2번 | 47쪽

안나 씨가 공연장에 가서 안내 방송을 들어요. 다음을 잘 듣고 써 보세요.

안녕하십니까? 공연을 시작하기 전에 안내 말씀 드리겠습니다. 공연 중에는 핸드폰을 사용할 수 없습니다. 그리고 음식을 먹을 수 없습니다. 공연 중간에는 밖으로 나갈 수 없습니다. 그럼 잠시 후에 공연을 시작하겠습니다. 감사합니다.

활동 1 | 1번 | 50쪽

여러분은 공연을 자주 보러 가요? 수지 씨와 유진 씨가 춤 공연을 보러 갔어요. 공연이 시작되기 전에 수지 씨가 유진 씨에게 질문을 해요. 무슨 질문을 할까요?

수지: 와, 사람이 아주 많네요!
유진: 그렇죠? 여기 안내 자료 받으세요.
수지: 고마워요, 유진 씨. 저는 춤 공연을 처음 보는데 뭘 조심해야 돼요?
유진: 다른 공연하고 비슷해요. 시작 전에 미리 들어가야 돼요.
그리고 공연 중에 박수를 치지 말고 핸드폰을 사용하지 마세요.
수지: 네. 알겠어요. 공연이 재미있으면 좋겠어요.

06 여기에서 노트북을 사용해도 돼요?

어휘와 표현 | 1번 | 55쪽

공공장소에서 다음 행동을 해도 괜찮아요? 괜찮은 것에 모두 √ 표시를 해 보세요. 그리고 듣고 따라 해 보세요.

□ 규칙을 잘 지키다 □ 줄을 서서 기다리다
□ 버스에 천천히 타다 □ 안전선을 넘다
□ 큰 소리로 노래를 듣다 □ 다른 사람을 밀다
□ 여기저기 뛰어다니다 □ 시끄럽게 통화하다
□ 쓰레기를 버리다

활동 1 | 1번 | 58쪽

여러분은 도서관에 자주 가요? 마리 씨와 주노 씨가 도서관 앞에 도착해서 이야기해요. 두 사람은 무슨 이야기를 할까요?

마리: 주노 씨, 여기에서 노트북을 사용해도 돼요?
저는 이 도서관에 처음 와서요.
주노: 네. 써도 돼요. 그런데 조용히 사용해야 돼요.
마리: 알겠어요. 여기에서 음료수를 마셔도 돼요?
주노: 1층에서는 음료수를 마시면 안 돼요.
마리: 다른 층은 괜찮아요?
주노: 네. 2층에 음료수를 마시면서 책을 보는 곳이 있어요.

07 마리 씨한테서 그 친구 이야기를 들었어요

어휘와 표현 | 1번 | 63쪽

여러분은 어떤 성격이에요? 모두 √ 표시를 해 보세요. 그리고 듣고 따라 해 보세요.

□ 성격이 좋다 □ 성격이 급하다
□ 성격이 밝다 □ 착하다
□ 재미있다 □ 말이 많다
□ 말이 적다 □ 부지런하다
□ 게으르다 □ 활발하다

활동 1 | 1번 | 66쪽

여러분은 세종학당 친구들과 처음 만났을 때를 기억해요? 주노 씨와 안나 씨가 옆 반에 새로 온 학생에 대해 이야기해요. 무슨 이야기를 할까요?

주노: 안나 씨, 옆 반에 새로운 학생이 왔어요.
안나: 네. 알아요. 마리 씨한테서 그 친구 이야기를 들었어요.
주노: 마리 씨한테서요?
안나: 그 사람이 마리 씨 친구예요.
보니까 재미있는 사람인 것 같았어요.
주노: 저도 수업 끝나고 소개 좀 해 주세요.
안나: 좋아요. 같이 가요.

08 어렸을 때는 머리가 길었는데 지금은 짧은 머리가 편해요

어휘와 표현	1번	71쪽

외모를 설명할 때 사용할 수 있는 표현이에요. 여러분이 아는 어휘에 √ 표시를 해 보세요. 그리고 듣고 따라 해 보세요.

□ 예쁘다 □ 멋있다
□ 귀엽다 □ 잘생기다
□ 마르다 □ 날씬하다
□ 통통하다 □ 키가 크다
□ 키가 보통이다 □ 키가 작다
□ 머리가 길다 □ 머리가 짧다

활동 1	1번	74쪽

여러분은 어렸을 때 어땠어요? 유진 씨와 수지 씨가 사진을 보면서 이야기해요. 무슨 이야기를 할까요?

유진: 이거 무슨 사진이에요? 이 아이가 수지 씨예요?
수지: 네. 어렸을 때 오빠하고 찍은 사진이에요.
유진: 정말 귀여워요. 그때는 머리가 길었네요.
수지: 네. 어렸을 때는 머리가 길었는데 지금은 짧은 머리가 편해요.
유진: 두 사람 얼굴이 아주 밝아요. 오빠하고 친했어요?
수지: 그럼요. 그때는 오빠밖에 몰랐어요. 항상 오빠랑 같이 다녔어요.

09 저도 그런 사람을 만나고 싶은데요!

어휘와 표현	1번	79쪽

여러분은 어떤 사람에게 관심이 있어요? 가장 관심이 있는 것 3개에 √ 표시를 하고 이야기해 보세요. 그리고 듣고 따라 해 보세요.

□ 성격이 편안하다 □ 잘 웃다
□ 생각이 깊다 □ 성격이 비슷하다
□ 취미가 비슷하다 □ 말이 잘 통하다
□ 마음이 따뜻하다 □ 마음이 넓다
□ 마음이 잘 맞다

활동 1	1번	82쪽

여러분은 만나고 싶은 사람이 있어요? 안나 씨와 수지 씨가 만나고 싶은 사람에 대해 이야기해요. 무슨 이야기를 할까요?

안나: 수지 씨, 우리 언니가 이번 9월에 결혼해요.
수지: 정말요? 잘됐네요. 저도 빨리 좋은 사람을 만나고 싶어요.
안나: 어떤 사람을 만나고 싶어요?
수지: 저는 취미 생활이 중요하기 때문에 취미가 비슷한 사람을 만나고 싶어요. 쉬는 날 같이 사진을 찍으러 다니고 싶어요.
안나: 와, 멋진데요! 저도 그런 사람을 만나고 싶어요!

10 산악자전거는 조금 위험한 편이에요

어휘와 표현	1번	87쪽

여러분은 시간이 있을 때 뭘 하는 것을 좋아해요? 듣고 따라 해 보세요.

□ 전통 놀이를 체험해요. □ 방송국을 체험해요.
□ 다른 나라를 방문해요. □ 유명한 장소를 방문해요.
□ 맛집을 찾아가요. □ 예쁜 카페를 찾아가요.
□ 여러 나라의 동전을 모아요. □ 좋아하는 만화책을 모아요.

활동 1	1번	90쪽

시간이 지나면 할 수 없는 일은 무엇일까요? 마리 씨와 재민 씨가 해 보고 싶은 일에 대해 이야기해요. 무슨 이야기를 할까요?

마리: 재민 씨, 뭘 보고 있어요?
재민: 산악자전거를 알아보고 있어요. 옛날부터 꼭 타 보고 싶었어요.
마리: 그거 위험하지 않아요?
재민: 조금 위험한 편이에요.
하지만 더 늦으면 못 할 것 같아서요.
마리: 다치지 않게 조심하세요.
재민: 네. 더 늦기 전에 이번에는 꼭 해 보려고요.

11 처음에는 모르는 게 많아서 답답했어

어휘와 표현	3번	95쪽

잘 듣고 빈칸에 알맞은 말을 써 보세요.

1) 차가 많이 막혀서 답답해요.
2) 한국어를 1(일)년밖에 안 배웠는데 정말 잘하네요.
3) 회사 생활이 처음엔 힘들었는데 지금은 많이 익숙해졌어요.

활동 1	1번	98쪽

여러분은 처음 한국어를 배울 때와 비교해서 변한 것이 있어요? 안나 씨와 재민 씨가 요즘 자신의 변화에 대해 반말로 이야기해요. 무슨 이야기를 할까요?

안나: 재민아, 요즘 회사 생활은 어때?
재민: 처음보다 많이 좋아졌어. 넌, 한국어 배우는 거 어때?
안나: 나도 처음에는 모르는 게 많아서 답답했어. 실수도 많이 하고.
재민: 그랬구나. 학교에서도 한국어를 배워?
안나: 아니. 학교에서는 안 배우고 세종학당에서만 배워.
재민: 와, 그런데 한국어를 작년보다 아주 잘하는 것 같아.
안나: 그래? 고마워.

12 난 너처럼 카페를 하고 싶어

어휘와 표현	1번	103쪽

아는 것에 √ 표시를 해 보세요. 그리고 듣고 따라 해 보세요.

□ 유학하다
□ 취직하다
□ 혼자 세계 여행을 하다
□ 외국어를 잘하다
□ 대학원에 진학하다
□ 가게를 열다 / 카페를 열다
□ 인터넷 소설을 쓰다
□ 취미를 만들다

활동 1	1번	106쪽

여러분은 앞으로 더 하고 싶은 일이 있어요? 유진 씨와 케빈 씨가 앞으로 하고 싶은 것을 이야기해요. 무슨 이야기를 할까요?

유진: 케빈, 넌 앞으로 하고 싶은 거 있어?
케빈: 글쎄. 혼자 세계 여행을 하고 싶어. 넌?
유진: 음. 난 너처럼 카페를 하고 싶어. 너 어떻게 카페를 열게 됐어?
케빈: 커피를 너무 좋아해서 하게 됐어.
유진: 앞으로도 계속 할 거야?
케빈: 응. 세상에서 가장 맛있는 커피를 만드는 사람이 되고 싶어.

모범 답안

2B

 이번 주 금요일에 동아리 모임 할래요?

어휘와 표현 | 2번 | 15쪽

1) 장소를 알아보고 있어요
2) 게임을 좀 준비할까요
3) 간식을 준비하는 게
4) 친구들의 취향을 물어보는 게

어휘와 표현 | 3번 | 15쪽

[예시]
저는 친구들이 좋아하는 간식을 준비해요.

문법 1 | 1번 | 16쪽

1) 들어 볼래요
2) 갈래요
3) 먹을래요
4) 앉을래요

문법 1 | 2번 | 16쪽

2) 가: 비가 오는데 커피 마실래요?
나: 네. 좋아요.
가: 어디에서 커피 마실래요?
나: 학교 앞 카페 어때요?

가: 비가 오는데 커피 마실래요?
나: 미안해요. 오늘은 일이 있어요.
가: 괜찮아요. 그럼 다음에 봐요.

3) 가: 기분이 안 좋은데 쇼핑할래요?
나: 네. 좋아요.
가: 어디에서 쇼핑할래요?
나: 백화점 어때요?

가: 기분이 안 좋은데 쇼핑할래요?
나: 미안해요. 오늘은 일이 있어요.
가: 괜찮아요. 그럼 다음에 봐요.

4) 가: 날씨가 좋은데 운동할래요?
나: 네. 좋아요.
가: 무슨 운동할래요?
나: 테니스 어때요?

가: 날씨가 좋은데 운동할래요?
나: 미안해요. 오늘은 일이 있어요.
가: 괜찮아요. 그럼 다음에 봐요.

5) [예시]
가: 내일 도서관에 가려고 하는데 같이 갈래요?
나: 네. 좋아요.
가: 몇 시에 갈래요?
나: 오후 두 시 어때요?

가: 내일 도서관에 가려고 하는데 같이 갈래요?
나: 미안해요. 내일은 일이 있어요.
가: 괜찮아요. 그럼 다음에 봐요.

문법 2 | 1번 | 17쪽

1) 올게요
2) 살게요
3) 먹을게요
4) 만들게요

문법 2 | 2번 | 17쪽

2) 기차표를 예매해야 돼요
3) 날씨를 미리 알아봐야 돼요
4) 맛집을 알아봐야 돼요
5) [예시]
유명한 여행지를 알아봐야 돼요./여행 날짜를 정해야 돼요.

문법 2 | 3번 | 17쪽

[예시]
가: 누가 비행기표를 예매할래요?
나: 제가 예매할게요.

활동 1 | 1번 | 18쪽

1) 이번 주 금요일에 동아리 모임을 하려고 해요. 동아리 모임에서 그동안 연습한 춤 공연을 할 거예요.
2) 안나 씨는 공연하기 좋은 장소를 알아볼 거예요. 그리고 마리 씨는 간식을 준비할 거예요.

활동 1	2번	18쪽

2) 가: 유진 씨, 토요일에 주노 씨 생일 파티를 하려고 하는데 올래요?
   나: 주노 씨 생일 파티요? 좋아요. 같이 준비해요. 뭐부터 준비할까요?
   가: 고마워요. 먼저 제가 장소를 알아볼게요. 그리고 음식을 주문할게요.
   나: 알겠어요. 그럼 제가 게임을 준비할게요.
3) [예시]
   가: 유진 씨, 토요일에 영화 동아리 모임을 하려고 하는데 올래요?
   나: 영화 동아리 모임요? 좋아요. 같이 준비해요. 뭐부터 준비할까요?
   가: 고마워요. 먼저 제가 장소를 알아볼게요. 그리고 간식을 준비할게요.
   나: 알겠어요. 그럼 제가 다른 친구들에게 연락할게요.

활동 2	1번	19쪽

1) 안나 씨 동아리 모임은 이번 주 금요일 저녁 6시에 하나 카페에서 해요. 동아리 모임에서 친구들과 준비한 춤 공연을 할 거예요. 그리고 공연도 보고 맛있는 음식을 먹으면서 같이 즐거운 시간을 보낼 거예요.
2) [예시]
   저는 세종학당 친구와 생일 파티를 하고 싶어요.

활동 2	2번	19쪽

[예시]

미나 씨, 안녕하세요? 유리예요. 이번 주말에 제 생일이 있어서 토요일에 생일 파티를 하려고 하는데 미나 씨도 올래요? 우리 반 친구들하고 같이 이야기도 하고 맛있는 음식을 먹으면서 생일 파티를 하고 싶어요. 지금 저하고 민수 씨가 생일 파티를 준비하고 있는데 우리 반 친구들을 모두 초대할 거예요.

장소는 세종학당 옆에 있는 한국식당인데 토요일 오후 다섯 시에 생일 파티를 하려고 해요. 맛있는 음식하고 게임도 준비했어요. 미나 씨도 꼭 오면 좋겠어요.

답장 주세요. 기다릴게요.

-유리가.

02 세종학당에서부터 걸어서 10분쯤 걸려요

어휘와 표현	1번	23쪽

1) 육교
2) 신호등
3) 사거리
4) 횡단보도
5) 지하도

어휘와 표현	2번	23쪽

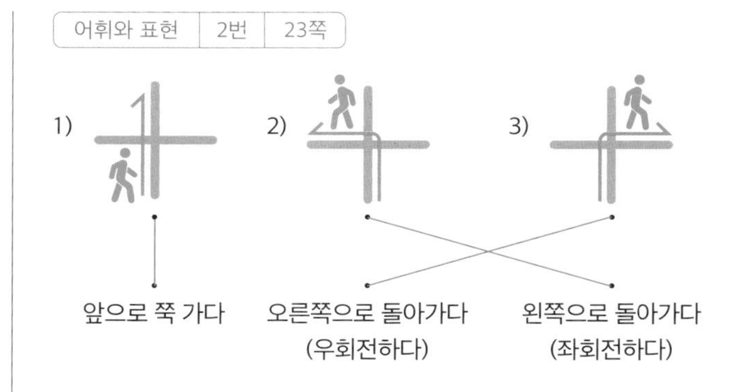

어휘와 표현	3번	23쪽

[예시]
신호등과 사거리를 볼 수 있어요.

문법 1	1번	24쪽

1) 명동에서부터
2) 화장실에서부터
3) 고향에서부터
4) 어디에서부터, 부산에서부터

문법 1	2번	24쪽

[예시]
2) 가: 차를 타고 멀리 가 본 적 있어요?
   나: 네. 전주에서부터 서울까지 가 본 적이 있어요.
   가: 시간이 얼마나 걸렸어요?
   나: 세 시간쯤 걸렸어요.
3) 가: 기차 타고 멀리 여행해 본 적 있어요?
   나: 네. 서울에서부터 부산까지 여행해 본 적이 있어요.
   가: 시간이 얼마나 걸렸어요?
   나: 세 시간쯤 걸렸어요.
4) 가: 비행기를 타고 멀리 가 본 적이 있어요?
   나: 네. 한국에서부터 브라질까지 가 본 적이 있어요.
   가: 시간이 얼마나 걸렸어요?
   나: 스물다섯 시간쯤 걸렸어요.

문법 2	1번	25쪽

1) 만날　　2) 볼　　3) 먹을　　4) 들을

문법 2	2번	25쪽

[예시]
2) 가: 이 표는 뭐예요?
   나: 내일 탈 비행기 표예요.
3) 가: 이 주스는 뭐예요?
   나: 버스에서 마실 주스예요.
4) 가: 이 옷은 뭐예요?
   나: 여행지에서 입을 옷이에요.

5) 가: 이 신발은 뭐예요?
　나: 바닷가에서 신을 신발이에요.
6) 가: 이 전화번호는 뭐예요?
　나: 한국에서 만날 친구 전화번호예요.

활동 1 | 1번 | 26쪽

1) 세종학당에서 안 멀어요. 세종학당에서부터 걸어서 10분쯤 걸려요.
2) 세종학당 앞에서 횡단보도를 건너면 영화관이 나와요. 그 영화관에서 오른쪽으로 돌아가면 하나 카페가 있어요.

활동 1 | 2번 | 26쪽

2) 가: 오늘 주노 씨 생일 파티에 갈 사람 있어요?
　나: 네. 저요. 모임 장소가 한국식당이죠? 그런데 학교에서부터 멀어요?
　가: 아니요. 세종학당 앞 육교를 건너면 공원이 있는데 그 앞에 있어요.
　나: 아, 그래요? 이따가 같이 가요.
3) 가: 오늘 동아리 모임에 갈 사람 있어요?
　나: 네. 저요. 모임 장소가 한국식당이죠? 그런데 정문에서부터 멀어요?
　가: 아니요. 세종학당 앞 횡단보도를 건너면 공원이 있는데 그 앞에 있어요.
　나: 아, 그래요? 이따가 같이 가요.
4) [예시]
　가: 오늘 춤 동아리 모임에 갈 사람 있어요?
　나: 네. 저요. 모임 장소가 세종식당이죠? 그런데 학교에서부터 멀어요?
　가: 아니요. 세종학당 앞 지하도를 건너면 공원이 있는데 그 앞에 있어요.
　나: 아, 그래요? 이따가 같이 가요.

활동 2 | 1번 | 27쪽

1) 한글날 행사는 10월 9일 2시에 K 호텔에서 해요. 한글을 만든 세종 대왕의 영화도 보고 재미있는 한글 캘리그래피도 배울 거예요. 그리고 세종학당의 춤 동아리 학생들이 멋진 케이팝(K-POP) 공연도 할 예정이에요.
2) [예시]
　한국식당에서 모임을 하고 싶어요. 세종학당 앞에서 횡단보도를 건너면 카페가 나와요. 그 카페 옆에 한국식당이 있어요.

활동 2 | 2번 | 27쪽

[예시]
선생님, 안녕하세요? 저는 유미라고 해요. 궁금한 것이 있어서 이메일을 보내요. 세종학당 한글날 행사에 참석하고 싶은데 일이 있어서 세 시부터 참석할 수 있어요. 혹시 한글날 행사는 오후 두 시에 시작해서 몇 시간 동안 해요? 그리고 한글날 행사가 끝나는 시간도 궁금해요. 감사합니다.

- 유미 올림.

03 할머니께서 직접 만드신 목걸이예요

어휘와 표현 | 2번 | 31쪽

[예시]
지갑, 꽃, 콘서트 표

어휘와 표현 | 3번 | 31쪽

1) 선물을 고르고 있어요
2) 선물을 주는 게 어때요
3) 넥타이를 선물하는 게 어때요
4) 노트북을 받고 싶어요

어휘와 표현 | 4번 | 31쪽

[예시]
저는 사랑하는 사람에게 향수를 주고 싶어요.

문법 1 | 1번 | 32쪽

1) 요리하세요
2) 수학을 가르치세요
3) 책을 읽으세요
4) 음악을 들으세요

문법 1 | 2번 | 32쪽

[예시]
가: 지은 씨의 어머니는 어떤 분이세요?
나: 우리 어머니는 수학을 잘하세요. 그리고 책 읽는 것을 아주 좋아하세요.
가: 아, 그럼 혹시 선생님이세요?
나: 아니요. 회사원이세요.

문법 2 | 1번 | 33쪽

1) 에게도　　2) 에게만
3) 에게만　　4) 에게도

문법 2 | 2번 | 33쪽

1) 재민 씨하고 유진 씨에게도
2) 마리 씨에게만 이메일을 안 보냈어요
3) 마리 씨에게도 이메일을 보냈어요
4) 재민 씨에게도 선물을 줬어요

활동 1	1번	34쪽

1) 안나 씨는 작년 크리스마스에 목걸이를 선물 받았어요.
2) 안나 씨의 할머니께서 직접 만드신 목걸이예요. 그래서 소중해요.

활동 1	2번	34쪽

2) 가: 재민 씨, 이 넥타이 디자인이 멋있어요. 새로 샀어요?
   나: 아, 멋있죠? 취직할 때 할아버지께서 주신 선물이에요.
   가: 와, 넥타이를 볼 때마다 할아버지 생각이 날 것 같아요.
   나: 네. 저에게만 주신 선물이어서 특히 소중해요.
3) [예시]
   가: 재민 씨, 이 지갑 디자인이 멋있어요. 새로 샀어요?
   나: 아, 멋있죠? 한국에 갔을 때 아버지께서 주신 선물이에요.
   가: 와, 지갑을 볼 때마다 아버지 생각이 날 것 같아요.
   나: 네. 저에게만 주신 선물이어서 특히 소중해요.

활동 2	1번	35쪽

1) 마리 씨에게 가장 소중한 선물은 10살 생일 때 어머니께서 직접 만들어서 주신 목도리예요. 어머니께서 직접 만드셔서 마리 씨에게 너무 소중한 선물이에요.
2) [예시]
   저에게 가장 중요한 선물은 어머니께서 주신 목걸이예요.

활동 2	2번	35쪽

[예시]
저에게 소중한 선물은 할머니께서 직접 만드신 반지입니다. 제가 취직할 때 할머니께서 주셨습니다. 할머니께서 저를 생각하면서 만드신 반지여서 저에게 아주 소중합니다. 이 반지를 하고 있으면 할머니의 얼굴이 생각나고 할머니가 많이 보고 싶습니다.

04 세종학당에 오다가 중학교 때 친구를 만났어요

어휘와 표현	2번	39쪽

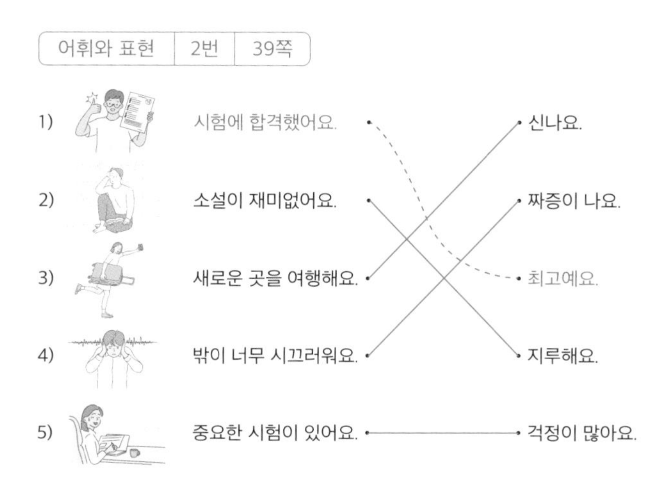

어휘와 표현	3번	39쪽

[예시]
세종학당에서 친구들과 한국어를 공부해서 기분이 좋아요.

문법 1	1번	40쪽

1) 마시다가
2) 하다가
3) 배우다가
4) 만들다가

문법 1	2번	40쪽

[예시]
1) 전화를 받았어요
2) 사진을 찍었어요
3) 잠이 들었어요
4) 영어를 배우다가

문법 2	1번	41쪽

1) 이야기해 주세요
2) 빌려줄까요
3) 만들어 줬어요

문법 2	2번	41쪽

[예시]
지갑을 찾아 줄 거예요. /
물건을 주워 줄 거예요. /
핸드폰을 빌려줄 거예요.

활동 1	1번	42쪽

1) 유진 씨는 세종학당에 오다가 중학교 때 친구를 만났어요.
2) 유진 씨는 옛날에 중학교 때 친구 집에서 자주 놀았어요. 그리고 친구 어머니께서 맛있는 음식도 많이 만들어 주셨어요.

활동 1	2번	42쪽

2) 가: 유진 씨, 신난 것 같아요.
   나: 계속 일만 하다가 주말에 여행을 다녀왔어요.
   가: 아, 정말요?
   나: 네. 정말 기분이 최고였어요.
3) 가: 유진 씨, 기분이 나쁜 것 같아요.
   나: 농구에서 이기고 있다가 졌어요.
   가: 아, 정말요?
   나: 네. 정말 짜증이 났어요.
4) [예시]
   가: 유진 씨, 기분이 안 좋은 것 같아요.
   나: 어제 시험공부를 하다가 잠이 들었어요.
   가: 아, 정말요?
   나: 네. 정말 걱정이 많아요.

활동 2 | 1번 | 43쪽

1) 안나 씨와 민호 씨는 한국에서 처음 만났어요. 기차 안에서 이야기를 하다가 친구가 되었습니다. 민호 씨는 안나 씨에게 부산을 소개해 주었습니다. 두 사람은 내일 다시 만나기로 했습니다.
2) [예시]
저는 세종학당에서 한국어를 배우다가 지나 씨와 친구가 되었습니다. 작년에 지나 씨하고 같이 한국에 여행도 갔습니다.

활동 2 | 2번 | 43쪽

[예시]
저는 세종학당에서 한국어를 배웁니다. 지나 씨와는 세종학당에서 같이 한국어를 배우다가 친구가 되었습니다. 작년에 지나 씨하고 같이 한국에 여행도 갔습니다. 저는 한국 여행이 처음이었지만 지나 씨는 한국을 두 번 여행했습니다. 그래서 지나 씨가 저에게 서울을 소개해 줬습니다. 정말 재미있는 여행이었습니다.

05 공연 중에 핸드폰을 사용하지 마세요

어휘와 표현 | 1번 | 47쪽

[예시]

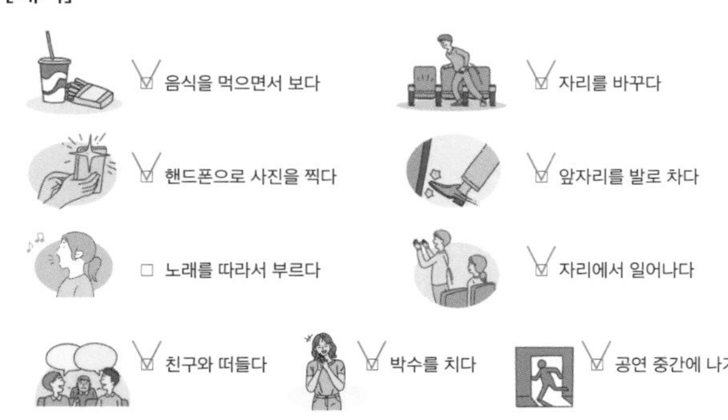

어휘와 표현 | 2번 | 47쪽

핸드폰을 사용할 수, 음식을 먹을 수, 밖으로 나갈 수

어휘와 표현 | 3번 | 47쪽

[예시]
공연 중간에 나갔어요.
음식을 먹으면서 봤어요.
쓰레기를 버렸어요.
자리에서 일어났어요.
공연 중에 박수를 쳤어요.
전화했어요.
친구와 떠들었어요.
핸드폰으로 사진을 찍었어요.

문법 1 | 1번 | 48쪽

1) 잘하네요 2) 많네요
3) 머네요 4) 잘생겼네요

문법 1 | 2번 | 48쪽

1) 어렵네요 2) 좋아하네요
3) 그리네요 4) 멋지네요

문법 1 | 3번 | 48쪽

[예시]
재민 씨, 새로 산 옷이 멋있네요. /
마리 씨, 강아지가 정말 귀엽네요!

문법 2 | 1번 | 49쪽

1) 찍지 마세요 2) 주차하지 마세요
3) 타지 마세요 4) 피우지 마세요

문법 2 | 2번 | 49쪽

1) 열지 마세요
2) 들어가지 마세요
3) 떠들지 마세요

문법 2 | 3번 | 49쪽

[예시]
수업 시간에 친구와 떠들지 마세요.

활동 1 | 1번 | 50쪽

1) 아니요. 수지 씨는 춤 공연을 처음 봐요.
2) 공연 중에 박수를 치지 말고 핸드폰을 사용하지 말아야 해요.

활동 1 | 2번 | 50쪽

2) 가: 와, 극장이 멋있네요!
나: 그렇죠? 여기 극장 안내문 받으세요.
가: 고마워요. 저는 연극을 처음 보는데 뭘 조심해야 돼요?
나: 공연을 보면서 이야기하지 마세요.
3) [예시]
가: 와, 공연장이 크네요!
나: 그렇죠? 여기 공연 소개 자료 받으세요.
가: 고마워요. 저는 뮤지컬 공연을 처음 보는데 뭘 조심해야 돼요?
나: 공연 중간에 사진을 찍지 마세요.

활동 2 | 1번 | 51쪽

1) 세종 문화 센터 공연 관람 예절 안내가 있어요.

2) [예시]
공연 관람 예절을 지키지 않으면 다른 사람이 불편해해요.

활동 2	2번	51쪽

[예시]
핸드폰으로 사진을 찍지 마세요.
공연 중에 박수를 치지 마세요.
공연 중간에 나가지 마세요.
친구와 떠들지 마세요.
음식을 먹으면서 보지 마세요.
자리에서 일어나지 마세요.

06 여기에서 노트북을 사용해도 돼요?

어휘와 표현	1번	55쪽

☑ 규칙을 잘 지키다

☑ 줄을 서서 기다리다

☑ 버스에 천천히 타다

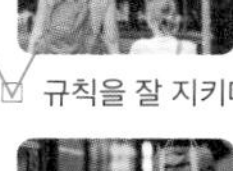
☐ 안전선을 넘다

☐ 큰 소리로 노래를 듣다

☐ 다른 사람을 밀다

☐ 여기저기 뛰어다니다

☐ 시끄럽게 통화하다

☐ 쓰레기를 버리다

어휘와 표현	2번	55쪽

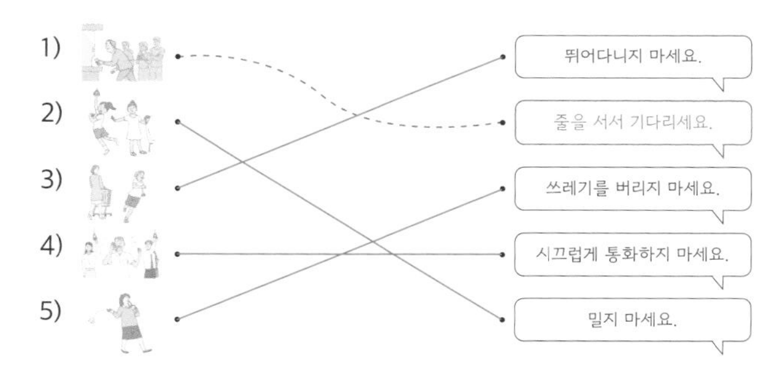

어휘와 표현	3번	55쪽

[예시]
공공장소에서 조용히 해요.

문법 1	1번	56쪽

1) 마셔도 돼요
2) 사도 돼요
3) 가도 돼요
4) 타도 돼요
5) 없어도 돼요

문법 1	2번	56쪽

2) 여기에 앉아도 돼요?
3) 입어 봐도 돼요?
4) 병원에 가도 돼요?

문법 2	1번	57쪽

1) 강아지와 같이 산책해도 돼요
2) 음식을 만들면 안 돼요
3) 자전거를 타도 돼요
4) 큰 소리로 노래를 들으면 안 돼요

문법 2	2번	57쪽

[예시]
지하철에서 물을 마시면 안 돼요.

활동 1	1번	58쪽

1) 네. 도서관에서 노트북을 사용할 수 있어요.
2) 2층이에요.

활동 1	2번	58쪽

[예시]
2) 도서관에서는 노트북을 사용해도 돼요. 그리고 음료수를 마셔도 돼요. 하지만 음식을 먹으면 안 되고 큰 소리로 노래를 들으면 안 돼요.
3) 박물관에서는 핸드폰을 사용해도 돼요. 그리고 이야기해도 돼요. 하지만 핸드폰으로 사진을 찍으면 안 되고 크게 떠들면 안 돼요.
4) 버스 안에서는 전화해도 돼요. 그리고 핸드폰을 봐도 돼요. 하지만 시끄럽게 통화하면 안 되고 버스에 빨리 타면 안 돼요.
5) 지하철역에서는 음악을 들어도 돼요. 그리고 전화해도 돼요. 하지만 안전선을 넘으면 안 되고 다른 사람을 밀면 안 돼요.

활동 2	1번	59쪽

1) 입구 근처에서 담배를 피우면 안 돼요.
2) [예시]
여기에 쓰레기를 버리면 안 돼요.

활동 2	2번	59쪽

[예시 1]
장소: 아파트
내용: 계단에서 담배를 피우면 안 돼요. 주차장에 주차하세요. 강아지와 같이 산책해도 돼요.

[예시 2]
장소: 공원
내용: 음식을 만들면 안 돼요. 쓰레기를 버리지 마세요. 자전거를 타도 돼요.

[예시 3]

장소: 교실

내용: 여기저기 뛰어다니면 안 돼요. 친구와 떠들지 마세요. 노트북을 사용해도 돼요.

07 마리 씨한테서 그 친구 이야기를 들었어요

어휘와 표현 | 2번 | 63쪽

1) 착해요.	일을 빨리빨리 해요. 잘 못 기다려요.
2) 활발해요.	다른 사람을 잘 도와줘요.
3) 부지런해요.	일하는 것을 싫어하고 천천히 해요.
4) 성격이 급해요.	오늘 할 일을 오늘 꼭 해요.
5) 게을러요.	밝고 여러 가지 일을 많이 해요.

어휘와 표현 | 3번 | 63쪽

[예시]

제 친구는 조용하지만 아주 재미있어요.

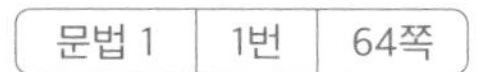

1) 한국 친구에게서/한테서
2) 동생에게서/한테서
3) 아버지께
4) 선생님께
5) 어머니께

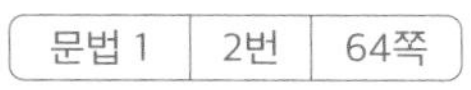

[예시]

1) 어머니께 목걸이를 받았어요.
2) 아버지께 한국에 대한 이야기를 가장 많이 들었어요.
3) 서울에 있는 친구한테서 택배를 받았어요.
4) 오늘 재민 씨한테서 에스엔에스(SNS) 메시지를 받았어요.

문법 2 | 1번 | 65쪽

1) 도착하니까　　2) 끝내니까
3) 돌아가니까　　4) 보니까

문법 2 | 2번 | 65쪽

1) 백화점에 가다	강아지가 옆에서 자고 있었어요.
2) 창문 밖을 보다	세일 기간이었어요.
3) 아침에 일어나다	비가 오고 있었어요.
4) 식당에 들어가다	어려운 단어가 많이 나왔어요.
5) 한국 노래를 듣다	맛있는 냄새가 났어요.
6) 친구에게 전화하다	집에 있었어요.

↓

1) 백화점에 가니까 세일 기간이었어요.
2) 창문 밖을 보니까 비가 오고 있었어요.
3) 아침에 일어나니까 강아지가 옆에서 자고 있었어요.
4) 식당에 들어가니까 맛있는 냄새가 났어요.
5) 한국 노래를 들으니까 어려운 단어가 많이 나왔어요.
6) 친구에게 전화하니까 집에 있었어요.

활동 1 | 1번 | 66쪽

1) 마리 씨한테서 그 친구 이야기를 듣고 만났어요.
2) 보니까 성격이 재미있는 사람인 것 같았어요.

활동 1 | 2번 | 66쪽

2) 가: 유진 씨, 옆집에 누가 이사 왔어요.
   나: 네. 알아요. 형/오빠한테서 듣고 만났어요.
   가: 그 사람은 어떤 사람이에요?
   나: 만나니까 말이 많은 사람인 것 같아요.
3) [예시]
   가: 유진 씨, 우리 반에 새로운 학생이 왔어요.
   나: 네. 알아요. 안나 씨한테서 듣고 만났어요.
   가: 그 사람은 어떤 사람이에요?
   나: 이야기하니까 성격이 좋은 것 같아요.

활동 2 | 1번 | 67쪽

[예시]

1) 저는 꽃을 제일 먼저 찾았어요. 제 성격과 잘 맞는 것 같아요/제 성격과 잘 안 맞는 것 같아요.
2) 저는 민수 씨하고 성격이 제일 비슷해요. 우리는 모두 말이 별로 없어요.

활동 2 | 2번 | 67쪽

[예시]

저의 제일 친한 친구는 마이 씨입니다. 마이 씨는 활발한 성격이어서 인기가 많습니다. 케이팝(K-POP)을 아주 좋아하고 한국 친구도 많습니다.

08 어렸을 때는 머리가 길었는데 지금은 짧은 머리가 편해요

어휘와 표현 | 2번 | 71쪽

2) 안나는 귀엽고 예뻤어요. 머리가 길었어요. 키가 컸어요.
3) 마리는 귀여웠어요. 머리가 짧았어요. 키가 작았어요.

어휘와 표현 | 3번 | 71쪽

[예시]

저는 키가 작고 머리가 길었어요.

문법 1	1번	72쪽

1) 비싼데 2) 많은데
3) 보는데 4) 먹는데

문법 1	2번	72쪽

[예시]
어렸을 때는 키가 작았는데 지금은 키가 커요

문법 2	1번	73쪽

1) 15분밖에 2) 세 명밖에
3) 한 개밖에 4) 파란색 펜밖에
5) 운동화밖에

문법 2	2번	73쪽

[예시]
저는 요즘 한국 여행밖에 관심이 없어요.

활동 1	1번	74쪽

1) 수지 씨는 어렸을 때 머리가 길었어요.
2) 아니요. 어렸을 때는 머리가 길었는데 지금은 머리가 짧아요.

활동 1	2번	74쪽

2) [예시]

외모	어렸을 때	• 키가 크고 말랐다. • 머리가 짧았다.
	지금	• 통통하다. • 머리가 길다.
좋아하는 것	어렸을 때	• 주스를 좋아했다. • 축구밖에 몰랐다.
	지금	• 커피를 좋아한다. • 농구를 많이 한다.

저는 어렸을 때는 키가 크고 말랐는데 지금은 통통해요. 어렸을 때는 항상 머리가 짧았는데 지금은 긴 머리가 편해요. 전에는 주스를 좋아했는데 지금은 주스보다 커피를 더 좋아해요. 그리고 옛날에는 축구밖에 몰랐는데 지금은 농구를 많이 해요.

활동 2	1번	75쪽

1) 두 사람은 어렸을 때 축구 선수가 되고 싶었어요. 지금은 주노 씨는 회사원이 되었고 주노 씨의 형은 화가가 되었어요.
2) [예시]
저는 어렸을 때 선생님이 되고 싶었어요.

활동 2	2번	75쪽

[예시]
저는 어렸을 때 영어 선생님이 되고 싶었습니다. 영어를 좋아해서 하루 종일 집에서 영어책을 읽고 영어 공부를 했습니다. 그리고 친구들에게 영어를 가르쳐 주는 것이 재미있었습니다. 하지만 지금 저는 작은 회사에 다니고 있습니다. 해외에 있는 회사와 연락을 많이 합니다. 지금은 영어를 가르치지 않지만 회사에서 영어를 많이 사용해서 즐겁습니다.

09 저도 그런 사람을 만나고 싶은데요!

어휘와 표현	2번	79쪽

1) 말이 잘 통해요. — 두 사람이 대화할 때 편하고 잘 맞아요.
2) 취미가 비슷해요. — 두 사람이 좋아하는 일이 비슷해요.
3) 마음이 넓어요. — 다른 사람이 잘못한 것을 잘 이해해요.
4) 생각이 깊어요. — 무슨 일을 하기 전에 많이 생각해요.
5) 마음이 잘 맞아요. — 두 사람이 생각하는 것이 비슷해요.

어휘와 표현	3번	79쪽

[예시]
저는 친구들에게 마음이 넓고 말이 잘 통하는 사람이 되고 싶어요. 그리고 생각이 깊은 사람이 되어서 친구들의 이야기를 들어 줄 거예요.

문법 1	1번	80쪽

1) 닫기 때문에 2) 살기 때문에
3) 점심시간이기 때문에

문법 1	2번	80쪽

[예시]
1) 취미 생활을 많이 해요
2) 선물을 사야 해요
3) 집에서 약을 먹고 쉬었어요
4) 오늘 날씨가 추워요

문법 2	1번	81쪽

1) 어울리는데요 2) 비싼데요
3) 깨끗한데요 4) 시작하는데요

문법 2	2번	81쪽

1) 먹는데요, (먹다 / 마시다 / 보다)
2) 아름다운데요, (크다 / 많다 / 아름답다)
3) 받았는데요, (받다 / 주다 / 있다)

문법 2 | 3번 | 81쪽

[예시]
지나 씨, 오늘 한국어를 아주 잘하는데요.

활동 1 | 1번 | 82쪽

1) 수지 씨 취미는 사진을 찍는/찍으러 다니는 것이에요.
2) 수지 씨는 취미가 비슷한 사람을 만나고 싶어 해요.

활동 1 | 2번 | 82쪽

2) 저는 성격이 중요하기 때문에 마음이 넓은 사람을 만나고 싶어요. 그 사람하고 싸우지 않고 잘 지내고 싶어요.
3) 저는 생각이 중요하기 때문에 생각이 깊은 사람을 만나고 싶어요. 그 사람하고 많은 이야기를 하고 싶어요.
4) 저는 직업이 중요하기 때문에 직업이 비슷한 사람을 만나고 싶어요. 좋아하는 사람과 같이 일하고 싶어요.
5) [예시]

중요한 것	만나고 싶은 사람	하고 싶은 것
나이	나이가 비슷한 사람	그 사람하고 재미있는 활동을 많이 하고 싶다

저는 나이가 중요하기 때문에 나이가 비슷한 사람을 만나고 싶어요. 그 사람하고 재미있는 활동을 많이 하고 싶어요.

활동 2 | 1번 | 83쪽

1) 이 사람은 유학생 모임에서 수지 씨를 처음 만났어요. 수지 씨는 마음이 따뜻한 사람인 것 같아요.
2) [예시]
저는 민수 씨와 마음이 잘 맞아요. 그리고 민지 씨와 말이 잘 통해요.

활동 2 | 2번 | 83쪽

[예시]
저는 취미가 비슷한 친구를 사귀고 싶어요. 쉬는 날에 같이 취미 생활을 할 수 있기 때문이에요.

10 산악자전거는 조금 위험한 편이에요

어휘와 표현 | 2번 | 87쪽

[예시]
케이팝(K-POP) 춤 공연을 하다

어휘와 표현 | 3번 | 87쪽

1) 산악자전거를 2) 연기를
3) 나만의 책을

문법 1 | 1번 | 88쪽

1) 잘하는 편이에요 2) 깨끗한 편이에요
3) 방문하는 편이에요 4) 활발한 편이에요

문법 1 | 2번 | 88쪽

1) 오늘 날씨가 맑은 편이에요?
네. 맑은 편이에요. / 아니요. 흐린 편이에요.
2) 운동을 잘하는 편이에요?
네. 잘하는 편이에요. / 아니요. 못하는 편이에요.
3) 매운 음식을 잘 먹는 편이에요?
네. 잘 먹는 편이에요. / 아니요. 잘 못 먹는 편이에요.
4) 음식을 잘 만드는 편이에요?
네. 잘 만드는 편이에요. / 아니요. 못 만드는 편이에요.

문법 1 | 3번 | 88쪽

[예시]
저는 피아노를 잘 치는 편이에요.

문법 2 | 1번 | 89쪽

1) 춥지 않게 2) 먹을 수 있게
3) 들어오게 4) 읽게

문법 2 | 2번 | 89쪽

[예시]
1) 일찍 자요
2) 야채와 과일을 많이 먹어요
3) 한국어를 열심히 공부해요
4) 휴대폰에 메모했어요
5) 다른 사람이 못 듣게

활동 1 | 1번 | 90쪽

1) 재민 씨는 산악자전거를 타 보고 싶어 해요.
2) 더 늦으면 못 할 것 같아서요.

활동 1 | 2번 | 90쪽

2) 가: 저는 옛날부터 연기를 해 보고 싶었어요. 그런데 조금 늦은 편이에요.
나: 더 늦지 않게 빨리 시작하세요.
가: 네. 더 늦기 전에 이번에는 꼭 해 보려고요.

3) 가: 저는 옛날부터 해외여행을 해 보고 싶었어요. 그런데 돈이 많이 드는 편이에요.
나: 할인을 받을 수 있게 잘 알아보세요.
가: 네. 늦기 전에 이번에는 꼭 해 보려고요.

4) [예시]

가: 저는 옛날부터 악기를 배우고 싶었어요. 그런데 조금 비싼 편이에요.

나: 악기를 살 수 있게 돈을 모아 보세요.

가: 네. 늦기 전에 이번에는 꼭 해 보려고요.

활동 2	1번	91쪽

1) 회사원이 해 보고 싶어 하는 일은 취미 바꾸기, 돈 모으기, 다이어트 성공하기, 외국어 공부하기, 해외여행 가기, 남자 친구나 여자 친구 사귀기예요. 취미 바꾸기가 가장 많았어요.
2) [예시]
우리 나라 회사원들은 해외여행 가기에 관심이 많을 것 같아요. 학생들은 남자 친구나 여자 친구 사귀기에 관심이 많을 것 같아요.

활동 2	2번	91쪽

[예시]

♡ 올해 꼭 하고 싶은 일 ♡	☆ 나에게 필요한 것은? ☆
1) 해외여행 가기	1) 한국 친구
2) 여자 친구 사귀기	2) 시간
3) 한국 친구 사귀기	3) 돈

제가 올해 꼭 하고 싶은 일은 해외여행 가기, 여자 친구 사귀기, 한국 친구 사귀기입니다.

11 처음에는 모르는 게 많아서 답답했어

어휘와 표현	1번	95쪽

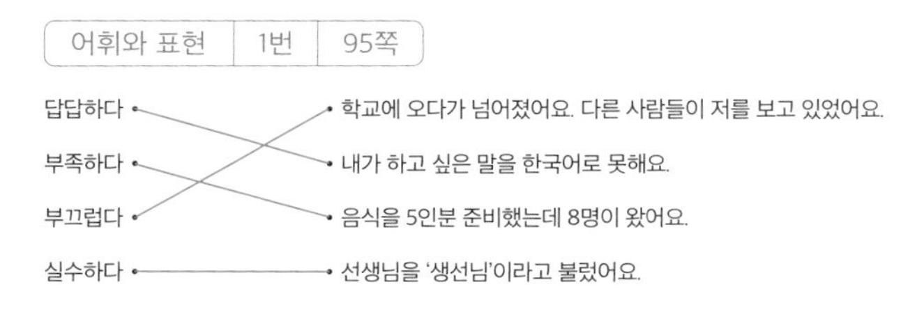

어휘와 표현	2번	95쪽

1) 변했어요 2) 알아들어요
3) 익숙해졌어요 4) 잘해요

어휘와 표현	3번	95쪽

1) 답답해요 2) 잘하네요
3) 익숙해졌어요

문법 1	1번	96쪽

1) 가: 민호야, 여행은 잘 다녀왔어?
   나: 응. 아주 좋았어.
2) 가: 오늘 파티에 갈 사람 있어?
   나: 응. 나도 가려고.
3) 가: 목걸이가 예뻐. 새로 샀어?
   나: 아니. 작년 크리스마스에 할머니께서 직접 만들어 주셨어.
4) 가: 지은아, 여기에서 노트북을 사용해도 돼?
   나: 응. 사용해도 돼.

문법 1	2번	96쪽

가: 여기에서 음료수를 마셔도 돼?

나: 아니. 1층에는 음료수를 가지고 들어가면 안 돼.

가: 다른 층은 괜찮아?

나: 응. 2층에 음료수를 마시면서 책을 보는 곳이 있어.

문법 2	1번	97쪽

1) 에서는 2) 에는
3) 에는 4) 에서는, 에서는

문법 2	2번	97쪽

오늘은 제 생일이에요. 저는 동생과 쌍둥이예요. 우리 집(✓① 에서는 / ② 에만) 생일날 가족이 모여 저녁을 먹어요. 엄마는 저(✓① 에게는 / ② 에게도) 목걸이를, 동생(① 에게서 / ✓② 에게는) 지갑을 선물로 주셨어요. 지갑(✓① 에는 / ② 에도) 돈이 들어 있었어요.

[예시]

멋진 선물을 받아서 기분이 아주 좋았습니다.

활동 1	1번	98쪽

1) 처음보다 많이 좋아졌어요.
2) 세종학당에서 한국어를 배워요.

활동 1	2번	98쪽

2) 가: 회사 생활은 어때?
   나: 처음엔 부족한 게 많았어.
   가: 지금은 잘하는 거 같은데?
   나: 응. 지금은 많이 익숙해졌어.
3) [예시]
   가: 유학 생활은 어때?
   나: 처음엔 답답한 게 많았어.
   가: 지금은 잘하는 거 같은데?
   나: 응. 지금은 많이 괜찮아졌어.

활동 2	1번	99쪽

1) 마리 씨가 진 씨의 생일을 기억해 줘서 고마워요. 유진 씨가 물어볼 때마다 잘 가르쳐줘서 고마워요.
2) [예시]
우리 반 친구들하고 같이 한국어를 재미있게 공부할 수 있어서 고마워요.

활동 2	1번	99쪽

[예시]
이번 학기에 우리 반 친구들과 한국어를 공부해서 너무 좋았어. 내가 아직 한국어를 잘 못하지만 항상 잘 가르쳐 줘서 고마워. 다음 학기에도 같이 공부하면 좋겠어.

12 난 너처럼 카페를 하고 싶어

어휘와 표현	2번	103쪽

1) 대학원에 진학할 거예요
2) 혼자 세계 여행을 하고 싶어요
3) 카페를 열었어요
4) 인터넷 소설을 써요

어휘와 표현	3번	103쪽

[예시]

	하고 싶은 일
1년 후	취직하다
5년 후	친구와 세계 여행을 하다

저는 1년 후에 취직할 거예요. 그리고 5년 후에는 친구와 세계 여행을 하고 싶어요.

문법 1	1번	104쪽

1) 제 친구는 선수처럼 축구를 잘해요
2) 안나 씨는 한국 사람처럼 말해요
3) 가을이 여름처럼 더워요
4) 구두가 운동화처럼 편해요

문법 1	2번	104쪽

2) 동생은 토끼처럼 귀여워요
3) [예시 1]
저, 선생님, 한국어를 잘하다
→ 저는 선생님처럼 한국어를 잘하고 싶어요

[예시 2]
저, 선생님, 노래를 잘하다
→ 저는 선생님처럼 노래를 잘하고 싶어요

문법 2	1번	105쪽

1) 한국 문화를 좋아해서 한국어를 배우게 되었어요
2) 친구가 이사를 해서 자주 못 만나게 되었어요
3) 언니가 도와줘서 지갑을 찾게 되었어요
4) 커피를 좋아해서 카페를 열게 되었어요

문법 2	2번	105쪽

[예시]
1) 외국 친구를 많이 사귀게 되었어요
2) 한국 노래를 듣게 되었어요
한국 친구를 만나게 되었어요
3) 한국어를 배우게 되었어요
혼자 살게 되었어요
회사에 다니게 되었어요

활동 1	1번	106쪽

1) 케빈 씨는 혼자 세계 여행을 하고 싶어 해요. 그리고 세상에서 가장 맛있는 커피를 만들고 싶어 해요. 유진 씨는 카페를 하고 싶어 해요.
2) 커피를 너무 좋아해서 하게 됐어요.

활동 1	2번	106쪽

2) 가: 너 앞으로 잘하고 싶은 거 있어?
나: 응. 난 너처럼 운동을 잘하고 싶어. 너는?
가: 난 그림 전시회를 하고 싶어.
나: 지금처럼 그림을 열심히 그리면 그림 전시회를 할 수 있게 될 거야.
3) [예시]
가: 너 앞으로 잘하고 싶은 거 있어?
나: 응. 난 케이팝(K-POP) 가수처럼 춤을 잘 추고 싶어. 너는?
가: 난 노래를 잘하고 싶어.
나: 노래 연습을 많이 하면 노래를 잘할 수 있게 될 거야.

활동 2	1번	107쪽

1) 1위는 여행하기이고 3위는 공부하기예요.
2) [예시]
저는 20대에 한국으로 유학을 가고 싶어요.

활동 2	2번	107쪽

[예시]
저에게는 친구 만들기가 중요해요. 친구들이 많이 있으면 같이 여행도 가고 즐거운 시간을 보낼 수 있어요.

어휘와 표현 색인

2B

자료 출처

2B

※ 이 교재는 산돌폰트 외 Ryu 고운한글돋움OTF, Ryu 고운한글바탕OTF 등을 사용하여 제작되었습니다. Ryu 고운한글돋움OTF, Ryu 고운한글바탕OTF 서체는 서체 디자이너 류양희 님에게서 제공 받았습니다.

이 교재는 국립공원공단에서 2021년 작성하여 공공누리 제1유형으로 개방한 '국립공원 꼬미'를 사용하였으며, 해당 저작물은 국립공원공단(www.knps.or.kr)에서 무료로 다운 받으실 수 있습니다.

※ 강승희, 곽명주, 박가을, 이재영, 정원교 작가와 함께 작업했습니다.

| 게티이미지코리아 |

5과 46쪽_(위로부터)①/④ 6과 54쪽_(시계방향으로)③; 55쪽_1번 (상, 좌로부터)②; 58쪽_1번 우 11과 95쪽_2번 1) 12과 102쪽_1번 좌 부록 119쪽_6과 1번 (상, 좌로부터)②

| 셔터스톡 |

스피커 아이콘

말풍선

연필 아이콘

1과 13쪽; 14쪽; 15쪽_3번; 16쪽; 17쪽_2번; 18쪽; 19쪽; 20쪽 2과 21쪽; 22쪽; 23쪽_2번, 3번; 24쪽; 25쪽_상; 27쪽; 28쪽 3과 29쪽; 30쪽; 31쪽_2번; 32쪽_상우, 1번; 33쪽_2번 (보기)/1)/2)/3); 34쪽; 36쪽 4과 38쪽; 39쪽; 40쪽; 41쪽_상좌, 2번; 44쪽 5과 46쪽_(위로부터)②/③/⑤; 47쪽_1번 (좌, 위로부터)③, (하, 좌로부터)②; 48쪽_2번, 3번; 49쪽_1번, 2번; 50쪽; 51쪽_1번; 52쪽 6과 53쪽; 54쪽_(시계방향으로)①/②; 55쪽_1번 (상, 좌로부터)①/③, 중, 하; 57쪽_상; 58쪽_1번 좌; 59쪽; 60쪽 7과 61쪽; 63쪽_3번; 64쪽_상좌, 2번; 65쪽; 68쪽 8과 69쪽; 70쪽; 71쪽_3번; 72쪽_1번 1)/2)/3)우/4); 73쪽; 74쪽; 76쪽 9과 79쪽; 81쪽; 82쪽; 84쪽 10과 86쪽; 87쪽_2번 (상, 좌로부터)①/③/④, 하, 3번 (보기)/2)/3); 88쪽; 89쪽_1번; 90쪽; 91쪽; 92쪽 11과 93쪽; 94쪽; 95쪽_2번 2); 98쪽; 99쪽; 100쪽 12과 101쪽; 102쪽_2번; 103쪽_1번 (상, 좌로부터)①/②/④, 하, 2번; 104쪽; 105쪽; 107쪽; 108쪽 부록 109쪽

| 연합뉴스 |

9과 78쪽_전 피겨스케이팅 선수 김연아

| 기타 |

1과 16쪽, 9과 78쪽, 12과 102쪽_가수 블랙핑크 (YG엔터테인먼트 제공)

3과 30쪽_'타인을 위한 선물 구입 품목' (대학내일20대연구소, 〈[1534 데이터 클리핑] 쇼핑〉, 2019.11)

9과 78쪽_배우 이민호 (MYM엔터테인먼트 제공)

세종한국어 2B

기획 국립국어원 박미영 학예연구사
국립국어원 조 은 학예연구사

집필 책임 집필 이정희 경희대학교 국제교육원 교수
공동 집필 이수미 성균관대학교 학부대학 대우교수
한윤정 경희대학교 K-컬처·스토리콘텐츠연구소 연구교수
신범숙 서울대학교 언어교육원 대우전임강사
민유미 서울대학교 언어교육원 대우전임강사
집필 보조 김연희 경희대학교 국어국문학과 박사수료
홍세화 경희대학교 국어국문학과 박사과정
정성호 경희대학교 국어국문학과 박사수료
서유리 경희대학교 국어국문학과 박사과정

발행 국립국어원
주소: (07511) 서울특별시 강서구 금낭화로 154
전화: +82(0)2-2669-9775
전송: +82(0)2-2669-9727
누리집: www.korean.go.kr

초판 1쇄 발행 2022년 9월 1일
초판 5쇄 발행 2024년 10월 18일

편집 • 제작 공앤박 주식회사
주소: (05116) 서울특별시 광진구 광나루로56길 85, 프라임센터 3411호
전화: +82(0)2-565-1531
전송: +82(0)2-6499-1801
누리집: www.kongnpark.com / www.BooksOnKorea.com (구매)

총괄 공경용
편집 이유진, 김세훈, 이진덕, 여인영, 김령희, 성수정, 최은정, 함소연
영문 편집 Sung A. Jung, Paulina Zolta, Kassandra Lefrancois-Brossard
디자인 오진경, 서은아, 이종우, 이승희
삽화 강승희, 곽명주, 박가을, 이재영, 정원교
관리·제작 공일석, 최진호
IT 자료 손대철
마케팅 윤성호

ISBN 978-89-97134-25-0 (14710)
ISBN 978-89-97134-21-2 (세트)

뒤 그림 | 대한민국 전도

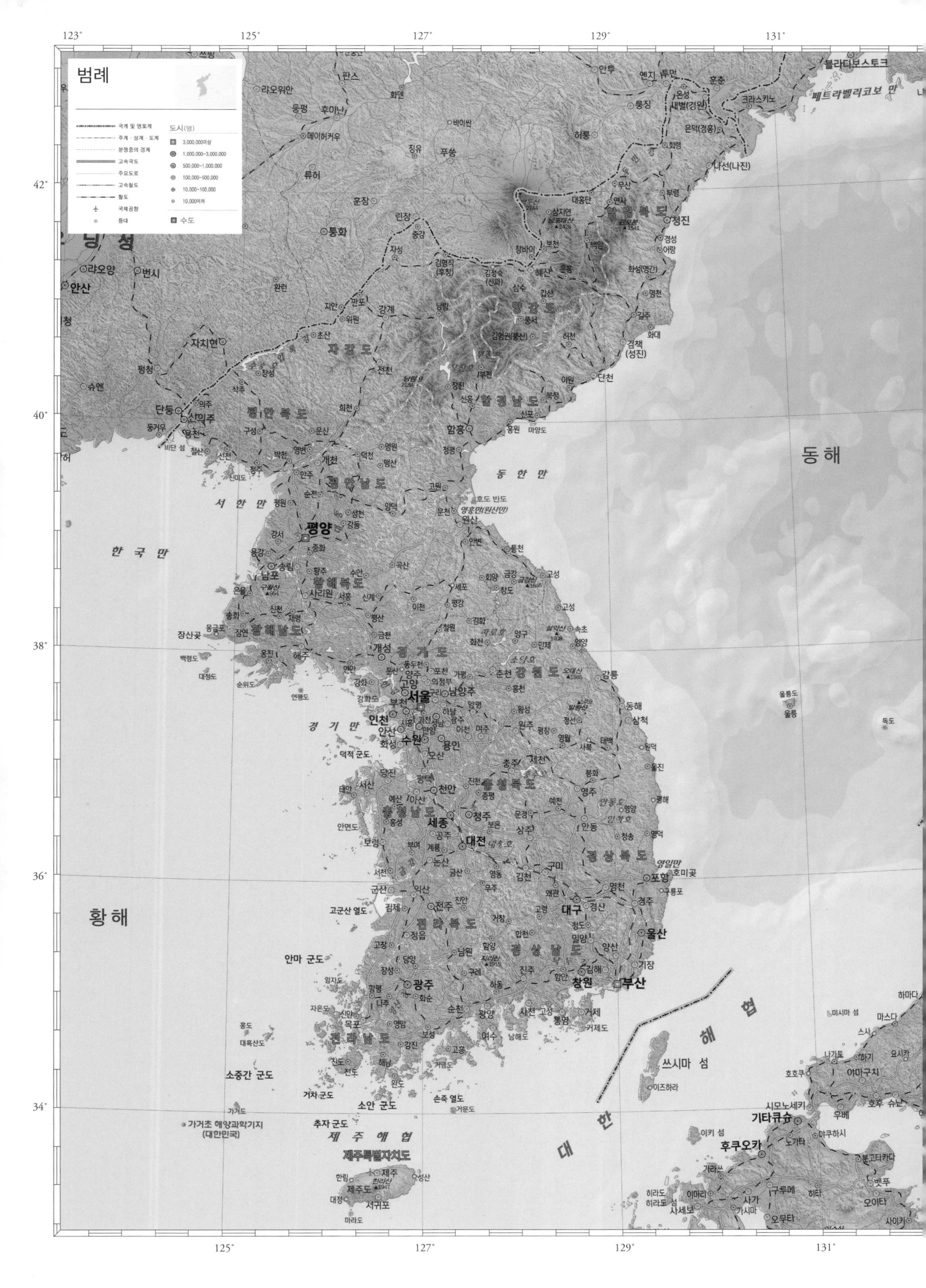

범례
국계 및 영토계
주계 · 성계 · 도계
분쟁중의 경계
고속국도
주요도로
고속철도
철도
국제공항
등대
도시(명)
3,000,000이상
1,000,000~3,000,000
500,000~1,000,000
100,000~500,000
10,000~100,000
10,000이하
수도
123°
125°
127°
129°
131°
42°
40°
38°
36°
34°
동해
황해
서 한 만
한 국 만
동 한 만
경 기 만
영일만
제 주 해 협
대 한 해 협
쓰시마 섬
이즈하라
이키 섬
울릉도
울릉
독도
블라디보스토크
페트라벨리코보 만
크라스키노
훈춘
안투
옌지
투먼
룽징
허룽
온성
새별(경원)
은덕(경흥)
회령
나선(나진)
무산
부령
청진
경성
어랑
화성(명간)
명천
길주
화대
김책
(성진)
단천
대홍단
연사
삼지연
백두산
2744
남포태산
2428
관모봉
2541
보천
백암
청바이
혜산
운흥
김정숙
(신파)
삼수
갑산
양강도
풍서
김형권(풍산)
허천
김형직
(후창)
랑림
낭림산
2184
장진
부전
신흥
함경남도
북청
신포
홍원
마양도
함흥
정평
이원
함경북도
퉁화
린장
중강
자성
만포
지안
위원
강계
초산
자강도
전천
희천
창성
삭주
평안북도
의주
단둥
신의주
용천
비단 섬
철산
선천
구성
운산
박천
영변
정주
신미도
안주
개천
덕천
영원
맹산
평안남도
순천
평원
양덕
성천
강동
평양
강서
중화
남포
송림
용강
황주
수안
곡산
구월산
954
은율
황해북도
사리원
서흥
신계
평산
신천
재령
송화
몽금포
장연
황해남도
장산곶
옹진
해주
백령도
대청도
순위도
연평도
연안
금천
개성
경기도
강화
강화도
고원
문천
원산
영흥만(원산만)
호도 반도
안변
통천
회양
금강
금강산
1638
고성
창도
세포
평강
이천
김화
철원
파로호
양구
화천
인제
설악산
1708
속초
양양
소양호
춘천
강원도
오대산
1565
강릉
홍천
횡성
평창
정선
원주
영월
태백
동해
삼척
동두천
포천
양주
의정부
가평
고양
서울
구리
남양주
양평
하남
부천
인천
시흥
과천
광주
안양
이천
여주
안산
수원
화성
용인
오산
평택
덕적 군도
당진
서산
태안
예산
아산
천안
진천
충주
제천
충청북도
증평
청주
보은
충청남도
홍성
세종
안면도
보령
공주
부여
계룡
대전
대청호
논산
금산
영동
옥천
문경
상주
예천
영주
봉화
울진
안동
안동호
임하호
영양
청송
영덕
평해
경상북도
구미
김천
칠곡
영천
포항
호미곶
구룡포
경주
대구
경산
고령
성주
서천
군산
익산
전주
진안
김제
무주
고군산 열도
전라북도
정읍
거창
합천
청도
밀양
울산
양산
기장
고창
남원
함양
지리산
1915
경상남도
장성
담양
순창
광주
구례
하동
산청
진주
함안
창원
김해
부산
안마 군도
임자도
함평
나주
화순
자은도
신안
목포
영암
전라남도
강진
장흥
보성
순천
광양
여수
남해도
사천
고성
통영
거제
거제도
고흥
거금도
해남
진도
완도
홍도
대흑산도
소중간 군도
거차 군도
소안 군도
손죽 열도
거문도
가거도
가거초 해양과학기지
(대한민국)
추자 군도
제주특별자치도
한림
제주
성산
제주도
한라산
1947
대정
서귀포
마라도
라오양
번시
안산
자치현
환런
류허
메이허커우
훈장
판스
화뎬
둥펑
후이난
바이싼
징유
푸쑹
슈엔
펑청
둥거우
시모노세키
기타큐슈
후쿠오카
노가타
유쿠하시
가라쓰
이마리
사가
구루메
히타
벳푸
오이타
사세보
가시마
오무타
히라도
하마다
마스다
요시카
하기
야마구치
우베
호후
나가토
호호쿠
분고타카다
미시마 섬
스사